JN085276

【増補版】

現代社会用語集

Kleines Wörterbuch
für unsere Zeit

Kimiyasu Irie
入江公康

新評論

はじめに

　さて，こんな用語集を編んでみた。

　この本の目的は，われわれが生きるこの「社会」の自明性をはぐこと，つまり「あたりまえ」を疑ってみる／疑うことだ。それはこの「社会」自体が「あたりまえ」に存在することを疑うことであり，あるいは，この「社会」が前提にする価値観を疑うことであり，そして，この「社会」のなかで生きる「われわれ」の「あたりまえ」を疑うことでもある。

　それはつまり，この社会の「外部」にでようとする／でてみる／でる，ということ。それがこの本のコンセプトの第一。

　そんな「あたりまえ」が「あたりまえ」でなくなる瞬間というのは現実にいくらでもありうるが，ここではそれをじぶんの想像力，知性や感性，じぶんとは違う者や，疎遠な出来事などと出逢うことで――このテキストから／を手がかりにして――試みてほしいと思うのだ。

　というわけで，この本には「社会」の「外部」を感じるためのとっかかりをちりばめたつもりである。残念ながら，現在この「社会」は「社会」の「外」にでることを許さない空気が充満している。「あたりまえ」のことを「あたりまえ」にまなぶのなら，大学などは必要ない。せっかく大学にいるのだから，「外」にでて自由に思索を開始してほしい。

　ただ，ひとつ気をつけておきたいのは，「社会」の「あたりまえ」を疑うといったときに，「偏っている」「中立でない」と感じることがあるやもしれない。「あたりまえ」から脱けでるのは，簡単に「あっ，こんなことか！」と気づいて俄然おもしろくなることもあるし，じつは「けっこう大変」ということもありうる。大変なときは大変なだけに相応の思考力や想像力をつかうし，それだけ緊張を強いる。そんなとき，そうした緊張をこそこの「社会」の強固さなのだと考えてみてほしい。

　したがって，というべきか，だから，ここにあげた言葉はべつに特定の考え方を押しつけるたぐいのものでなく，思索するための素材だと考えてく

1

れればいい。ここに登場するおおくの言葉から，現実の「社会」／「社会」の現実に切りこめるような，なにがしかのきっかけがつかめれば，書いた者としては望外のよろこびである。

　「社会」は歴史的に形成されたものだし，とうぜん変化してきたし，変化しなかったこともある。そしてこの先いつまでもこのままであるべくもないし，あって当然というものでもない。いま現在「あたりまえ」と思っていることとは違ったなにごとかに触れてみる。まずはそこから。

　はたしてどこまで成功したかわからないが，しかし，そういう「外」から「社会」をみる視角がほんの少しでもできれば，そのぶんだけ〈人生が豊かになること〉に資することができたのではなかろうか――この小著が，この講義が。

　今回そのように考えてこの書物を編んだ。

＊

　さいご，なにかにつけ相談にのってくれた白石嘉治さん，素敵なドイツ語タイトルをくださった杉本正俊さん，どうもありがとう。そしてこんな魅力的な本に仕上げてくれた吉住亜矢さんに感謝。

2018 年春

筆者

増補版によせて

　この用語集を 3 年にわたって大学での講義のテキストとして使用してきた。うれしかったのは教室に入ると学生が読んでいる姿を目にしたり，授業後に「ここ，おもしろいですね」と言ってくれたりしたことだ。つくってよかったと思う瞬間である。

　ということで今回の増補版とあいなり，あらたに 9 項目を追加した。いずれも「社会」を考えるのにアクチュアルなテーマを選んだつもり。従来の項目については，誤記を訂正し，項目間の関連性をより明確にしたほか，図版を増やしたり，文章にごく微細な修正をほどこすにとどめた。

　肩の力を抜いて，お茶でも飲みながら，自在に想像力をはばたかせて，楽しみつつ読んでもらえればと思っている。

2021 年 6 月

筆者

増補版 現代社会用語集／もくじ

【イラスト・年表：筆者】

INDEX

この本のつかいかた

● 本書は，わたしたちの「社会」を考えるうえで鍵となってくる 157 個の用語（キーワード）を，できるだけ簡潔に，わかりやすく解説するものです。

● 全 157 項を，**「ことば」**（概念など 97 項），**「ひと」**（人物 33 名 30 項），**「出来事」**（歴史的社会的事実 13 項），**「シネマ」**（社会を映しだす映画 17 作品）という 4 つのテーマに分けました。各テーマ内では 50 音順（人物は外国人と日本人に分けたうえで姓の 50 音順）にならんでいます。

● 各項を p.6-7 の 50 音順インデックスで引くこともできます。かならずしもはじめから順に読まなくてもかまいません。まずは興味のある項から拾い読みをしてみてください。

● 各項末尾の▶は，あわせて参照するとさらに思考が深まる**他の項**を示します。

● 同じく■は，その項に関連してぜひ読んでみてほしい**本**，▣は，ぜひ見てみてほしい**映画**をあらわします。また，本のタイトルのうしろに付した★印とページ数は，巻末の「《社会》がみえてくるアンソロジー」の当該ページに**引用**が載っていることを意味します。古今の名作・問題作を味見してみてください。

● 巻末に以下の参考資料を付しました。

　★ **関連年表**（本書の内容と深くかかわる事項を中心に，戦前・戦後に分けて作成。さらに戦後編の参考図として「モダン／ポストモダン」の違いを図式化したものも掲載）

　★ **ブックリスト　もっと遠くへ行きたい人のために**（本書にでてくるさまざまな文献をリスト化。とくにおすすめの本にはコメントあり）

　★ **《社会》がみえてくるアンソロジー**（上記ブックリストより精選した作品からの引用集）

社会世界を認識するのは難しい。
社会世界はそれを分析することに努める人々の
頭脳に取り憑いているからである。

―― ピエール・ブルデュー[*]

* 『パスカル的省察』加藤晴久訳，藤原書店，2009 年，序論 p.21

ことば

アニミズム

　自然やモノ，無生物に生を込めて，霊的なものがやどるとする，信仰の対象にするなどする。近代はながらくこういうあり方を文明の次元の低い，蒙昧で，素朴で，プリミティブな考え方だとしてきた。人間を主体にし，モノを客体にしたことになっている。そしてその客体は生命のないモノ，あるいは生命はあるが，その生命自体をモノの反応の体系に還元しようとしてきたのだった。とくに科学の発展といわれるものはそういうもの。この延長で人間そのものも主体の地位から転落し客体にされる傾向だってある。それよりも人とモノを同等に置いて，とりあえずはモノに生を吹き込むような見方をしたほうがむしろいいのかもしれない。自然とよい関係をとり結ぶためにも。たぶん**唯物論**はこの方向でいかないといけない。**モノを味方につける**，だ。われわれにとって〈友〉としてのモノだってあるだろう。ということは〈敵〉としてのモノもでてくるわけだ。▶近代，物自体，唯物論

■ラトゥール『虚構の「近代」』，ガタリ『三つのエコロジー』，ラッツァラート『記号と機械』

『星の王子さま』では，星を破壊するおそろしいものとして話題にのぼるバオバブの木。
たしかにこれは，「ただの木」ではないのかも…

いい子／悪い子

　ドイツの劇作家ベルトルト・ブレヒトの詩に，体じゅうに泥を塗りたくった汚い子どもがでてくる。本来，子どもは泥んこ遊びが大好きだ。ワルター・ベンヤミンはこの詩について，シャルル・フーリエ（p.150）の**ファランステール**（ユートピア的集住施設）を引き合いに，清潔できれいな仕事に就くプチット・バンドの子どもたちと，そこらじゅうポニーに乗って走りまわり，不潔で汚い仕事に従事するプチット・オルドの子どもたちについて語り，ファランステールでは後者のほうが尊敬されるという（『ヴァルター・ベンヤミン著作集 9 ブレヒト』）。そして，汚い子どもたちは，高慢ちき，無恥，不服従，汚れ好き——ようするに風呂嫌いか——に情念を傾けるのだ。ブレヒトの詩では，皇帝は清潔な子＝いい子にのみお目見えし，汚い子＝悪い子には会わない。権力はよごれた，風呂に入らない子が嫌いなのだ。▶文明

移民／難民

　国境を越えて移動・移住するとき，その理由はさまざまだ。多くは経済的理由とされるが，奴隷として連れてこられる，過去，植民地にされたことが遠因というのもとうぜんありうる。

　経済的理由とは，たとえば住んでいる土地の景気がわるくて食いつめたから新天地を探したい，ということ。ならば，かれらは経済的に迫害された経済難民とも考えられる。難民というと，戦争や環境破壊，差別や迫害など，おもに政治的理由を想起しがちだ。けれど，原発事故の避難者は？　厳密には移民と難民の区別はつけがたい。さらにいうなら，かれらは**亡命者**ともいいうる。

　日本の出入国管理は超劣悪。欧米の差別主義者がうらやむほど。移民政策などないに等しいし，ほとんど門戸を開いてない。難民を年間数人しか受けいれない異様な冷酷さでも有名。本来，難民認定されるべき人が出稼ぎなどとしてあつかわれる。ビザが切れるなどして不法状態になると，迫害可能性があるのに強制送還したりする悪質さだ。長期に滞在して居住実態があってもいつまでも市民権，永住権や参政権が付与されない，企業は不法就労という宙づり状態をいいことに安価に使い捨てようとする。なかでも悪名高いのは技能研修生制度で，研修でスキルを身につけられると誘っておいて奴隷状態にしてこきつかう。

　国境という人工的な線引きがなぜ機能しているのか，それによってだれが満足し，また得しているのか。移民の力はおおきい。さまざまなかたちで他者というものの存在を感じさせてくれる。異なった考え方や異なったあり方などさまざまなことを教えてくれる。

■サッセン『労働と資本の国際移動』

インセストタブー

　近親相姦 の禁止はひろくみられる現象だが，なぜ禁止されるのだろうか。**レヴィ＝ストロース**は南太平洋トロブリアンド諸島のクラ交換を例にだす。A，B，C，D，E……の島々にはそれぞれ財や宝物がある。それは貝であったり，豚であったり，石貨であったりするのだが，じつは女性もそのひとつ。そしてこの文化圏ではほかの島の部族に気前よく贈り物をすることが慣例となっている。AはBに，CはAに，DはEに，EはBに……というように，贈与のネットワークが張りめぐらされているのだ。これがクラ交換だ。大切なものほど気前よく贈るべきであって，ケチケチしたり，贈られっぱなしにしたりすると，その部族の長は尊敬されず，引きずりおろされる。へたすれば部族自体が不安定になって崩壊の危機にさらされたりする。

　さて，こうした文化圏で，大切な財である女性を手もとに置いたままにしたらどうだろうか？　つまり部族内で結婚して囲いこんだらどうなるか。妻となった女性はよその部族に贈れなくなる。これは部族にとっての危機。贈与できないことは決定的によくないことだからだ。だから部族内での結婚を厳に禁ずる。これがインセストタブー発生の起源というわけだ。

　いっぽうフロイトは，息子は母と，娘は父と結婚したいと思っているが，そんなことをすると父／母と争いになるため，それを避けるべくインセストタブーができたという。▶人類学，贈与，財（産），精神分析，家族

15

インフォーマルグループ

　愛情はまだどこか必要や実にもとづいているところがあるが，**友情**はなにか不必要や嘘にもとづいている。もともと実体のないところに発生する虚構的なものといっていいかもしれない。あるいは，愛情にはまだ近さが残るが，友情は，もとは遠いもののようでもある。

　インフォーマルグループとは，ハーバード大学のE・メイヨー＆F・J・レスリスバーガーが，1920〜30年代にウェスタンエレクトリック社ホーソン工場でおこなった実験でみいだした概念。明文化されたルールにもとづいた，「企業」の「みえる」組織（**formal** organization）にたいし，明文化されない掟のようなものにもとづいた「職場」の「みえない」**小集団**（**informal** group）。会社が命じたわけでもないのにつるむ者たち。これが生産性を左右するという。そこにある不文律は，①仕事しすぎてはいけない，②サボりすぎてはいけない，③なかまの不利になることを会社や上司に告げ口してはいけない，④エラぶったりしてはいけない，である。掟を破れば非難をあび排斥されるが，経営者が圧力をかけてくれば集団でまもってくれる（無言のうちに経営側に反抗するというかたちで）。

　すこし似た概念に**アフィニティグループ**がある。社会運動における，ヒエラルキーのない，自発的に結びついた，顔のみえる範囲での直接行動の単位。つまり行動をともにする友だちどうし，似た者どうしだ。一緒にデモにいくとか抗議活動するとかそういうこと。われわれは，友情をどこまで広げられるのだろうか。集団のつくり方というのは，まだまだ追求される必要がある。▶企業，**QCサークル**

■不可視委員会『われわれの友へ』

インフラ

　都市は，一般にイメージされるようには，自然に成長したりしない。それは人為的，計画的，恣意的なものだ。というのも，そこにひとを住まわせ，生産をおこなわせるためには，巨大なインフラの敷設が前提となるからである。再生産機能があるていど作動するように，生産手段とともに共同的な消費手段（道路・上下水道・電気・ガス・通信網・公衆衛生・公園・学校・病院・警察・消防 etc.）が配置されねばならない。個別資本が手がけるばあいもあるが，それだけではまかないきれないため，ふつうは国家の事業となる。人工的というのはそういう意味だ。

　都市は人が密集する危険な場所だ。家がたてこんでいるから大火事の危険があり，人と人との距離が近いから感染症の蔓延のおそれがある。上下水道が使えなくなってもおなじである。食糧を生産していないから，供給がとどこおればすぐに飢える，などなど。これほど危険なのになぜつくられねばならないのか。インフラにその謎を解く手がかりがある。

　じつは，「国家」とか「経済」といったものも，それじたいは不可視だが，インフラとしてあらわれる。「この国はおかしい」とか，「アベノミクスは失敗だ」とかは言ってもかまわないが，道路や病院やインターネットを批判するとバカ扱い。**インフラが統治を可能にしている**ともいえる。▶都市／農村，国家，統治，文明

■宮本憲一『都市経済論』

陰謀論

　目にみえるオモテの論理はあくまでタテマエであって，世界は目に
みえない闇集団に牛耳られており，その集団が暗黒理論で世界をコン
トロールしているという考え方。経済的社会的に追いつめられ，権威主
義をこじらせた人が陥りやすい。裏のたくらみに気づいた自分，我こそ
正義という選民意識と独善。だまされてたまるか，バカにされたくない
というエリートへのコンプレックスも垣間みえる。先ごろもアメリカ
大統領選（2020 年末）でみたとおり，**オルタナ右翼**（alt-right）と呼ば
れるトランプ支持の極右勢力が陰謀論に依拠していることが明らかに
なっている。何でも中国のせいにする日本の一部ネトウヨはその小型
版ともいえる。こうした妄想がいかなる事態をまねきうるかは，ナチス
にいたるまでのユダヤ陰謀論をみればわかる。

　ただし，だ。「陰謀論にひっかかるなんて，頭のたりないあわれなや
つで，リベラルで冷静で科学的で優秀なじぶんはそんなものにはハマ
らない」——こう冷笑してみても，どこか背中がうそ寒い。そういう自
分も，「陰謀論に凝り固まった連中の陰謀」を措定してしまっていない
か？ まるで合わせ鏡のように。あるいは，「世界は陰謀でできている」
という主張にだって，一面の真理はなくはないのでは？

　じっさい，陰謀はそこかしこにさまざまなレベルで転がっている。テ
ロリストの謀議，政財界人の会食，企業の会議，さてその違いはどこに
あるのか。陰謀論者と反陰謀論者に共通するのは，自分がたくらむ側に
もダマされる側にもまわらないという意識だ。だが思うに陰謀とは，人
や世界へのかかわり方の問題である。**だれだって謀り事ぐらいする**
——ということで，さあ，世界に愛の罠や愛の奸計をめぐらせよう。こ
こは**オーギュスト・ブランキ**という名前を覚えておきたいところ。

■ブランキ『革命論集』，同『天体による永遠』，ジェフロワ『幽閉者 ブランキ伝』，
クライン『ショック・ドクトリン』

「人民の革命家」オーギュスト・ブランキ（1805-81）の生涯は「陰謀→投獄」の連続だった。
ブルジョワ支配を打倒するため，1839年5月12日には秘密結社「四季協会」をひきいて
パリ市庁と警視庁を襲撃。上の絵は官憲をしりぞけるためのバリケード構築の様子。
この蜂起でブランキはまたも逮捕・投獄されるのだった

ウイルス

　virus はもともとラテン語で「毒」を意味する語。細菌と比べても小さい。小さすぎ。そして生きているんだか死んでいるんだかわからない。生命／非生命、いろいろ議論はあるようだけど、いずれにしても生体に入ると細胞内で増殖し、その生体に（悪）影響を与える。感染した状態だ。また自身のみでは増殖できない。よって存在性格そのものが寄生である。

　DNA（デオキシリボ核酸）型と RNA（リボ核酸）型の2種類があって、前者は ATGC、後者は AGCU の塩基配列によって設計図が描かれており、それにしたがって宿主の細胞に複製をつくらせる。設計図といったが、もちろん、べつに誰が設計したというわけでもない。コピーミスを起こして、すぐに変異したりするので不安定なのだが、不安定なりに同一性を保持している。それこそがウイルスが生き延び続けてきた強みだろう。**ミスこそ生存戦略**、というわけだ。しかし、これまたもちろんウイルスに生存の意志なるものがあるわけではないのだが。

　ざっと見渡しただけでも、インフルエンザ、天然痘、狂犬病、HIV、エボラ出血熱、そして今次の新型コロナなど、人間に大きな脅威を与えてきた。それゆえ必死で感染を抑え込もうとしてきたわけだが、しばしば感染爆発（パンデミック）をひきおこした。**パンデミック**は「すべて」を意味するギリシャ語の「パン」（πᾶν）と、「民衆」を意味する「デモス」（δῆμος）の合成に由来する。ようするに「すべての人にかかわる＝誰ものがれられない」事態だ。さらに、ここにギリシャ神話の半身半獣の牧神パンを語源とするパニック（恐慌）ともかけて考えたいところではある。

　さて、このごくごく小さななにかによって社会のあり方が一挙に露呈するということをこの間われわれは経験している（原発事故による放射性物質の拡散でも似た経験をしている）。都市の構成、住環境、社交性や集団の性格、医療のキャパシティ、福祉・社会保障に財政経済政策、風俗習慣、教育・メディアのあり方、権力の行使、インフラやロジ

スティックス，民主主義，バイオテクノロジーの進展，そしてひとびと
のメンタリティなどなど，平時にははっきりとみえなかった／隠され
ていたもののいっさいが露わになるのである。なかでもいちばんたい
せつな問題は，**今回のコロナ禍はグローバリゼーションの必然的な帰
結である**ということかもしれない。

　なお，このごく小さいものを利用して生物兵器などの開発もおこな
われうることを忘れるべきではない（軍事利用の点でも放射性物質と
通じるところがある）。それにしてもこの短い期間に，このものすごく
小さいものたちに生活を脅かされ破壊され，翻弄されるわれわれ自身
の（マスクを手放せない）姿たるや。人類は非力だ。▶グローバリゼーシ
ョン

■山内一也『ウイルスの意味論』

現下のパンデミックの原因 SARS
コロナウイルス2の小ささは，身近
な粒子の径を概念的に比較してみ
るとよくわかる。
いちばん外側の大きな円がスギ花
粉（30マイクロメートル＝0.03ミ
リ）。次がヒトの細胞（10マイクロ
メートル）。その次がPM2.5（2.5マ
イクロメートル）。そして，その中
の左端にある，**ごくごくちっちゃな
点**が今回の新型コロナウイルス（約
0.1マイクロメートル＝0.0001 ミ
リ）だ。
この中で最も大きな花粉でさえ，単
体だと肉眼では見えない

0.03 mm

エンクロージャー

　囲い込み。イギリスの第一次・第二次エンクロージャーなどを世界史で学んだひともいるだろう。第一次を目撃したトマス・モアは，「**羊が人間を食い殺す**」となげいた。毛織物産業を拡大するために，入会地(いりあいち)や入り組んだ狭小な耕地を囲い込んでまとめて広域化し，有力者が牧羊地として独占できるようにした。結果として零細農民が土地から追いだされ，農民層の分解につながった。

　これは過去の話ではなく，いまもそこかしこで起こっている。まわりの現象を「囲い込み」としてみると，さまざまなものがみえてくるだろう。端的に**民営化**がそれだ。もともと公有だったものを私有化し，共同の目的で使用されていたものが，一部利害関係者の利害のみにかかわるものとなる。たとえば水。水源や水道はこれまで自治体など公的機関によって運営されてきた。それを私企業が囲い込むとどうなるだろうか。水道料金が独占者の都合にゆだねられる。コップ 1 杯水を飲むのに「1000 円です」になりかねない。あるいは公園。渋谷区が宮下公園の命名権を売ってナイキパークになった（ナイキが反対運動にビビったため，いまのところ宮下公園という名前はのこっている）ことで，ナイキの得にならない者はそこから排除される。ホームレスもグラフィティライターも取り締まられる。描いていいのはナイキの PR に資する「アーティスト」だけ（**排除アート**）。使用料のかかる施設をつくるなどやりたい放題。デモや集会などもってのほか。まさにジェントリフィケーションであり，現代の囲い込みだ。▶ジェントリフィケーション，グラフィティ／落書き，企業

階級

　市民社会とは，いっけんすると，みな**平等**だということになっている。身分制が廃止され，人は差別されることなく，法の下，平等に諸権利が保証されていることになっている。市民は平等であり，平等な市民からなる社会が市民社会である。だが，ほんとうに平等だろうか。

　よくみてみると，社会には断裂が走っている。そのひとつが階級だ。持てる者と持たざる者。**生産手段**を所有する者と所有してない者。土地，建物，機械など生産の手段をもち，それに**労働力**を結合させて生産をおこなう者。つまり資本家だ。それにたいし，労働力を売らなければ生きていけない者，労働力を売ることによって生活資料をえる者がいる。つまり労働者階級である。資本主義社会とは，資本家が支配する社会だ。**階級闘争**とは，労働者がこの資本家の支配する社会に対抗すること，最終的には打倒することをめざすこと。

　プロレタリアとは，古代ローマで「子どもしかもてない最下層民」を指したプロレタリウスという言葉からきている。マルクス主義は，階級として組織された労働者＝プロレタリアートによる政治権力の掌握をめざし，それによって革命が遂行されるとした。このプロレタリアートによる単独の政治の執行を「**プロレタリア独裁**」という。共産主義国家は行き詰まったけど，もういちどそのやり方をふりかえらないと。

学費

　諸悪の根源，愚かさの象徴。学費が高額なら，経済的に不利な家庭の子どもは大学にいけない。学生は学費を捻出するため，バイトにいそしまねばならず，学生生活を謳歌する時間がうばわれる。勉強するどころか，ふりかえれば学生時代はバイトばかりしてたなんてことになりかねない。また学生がバイト漬けなら，労働市場に安価な労働力が大量に参入するから，労働市場全体で賃金を押し下げる効果をもつだろう。学費を自弁できる若者などそうはいないので，たいがいは親が学費をだす。そうすると親に頭があがらず，親への依存をうみ，自立をうばうだろう。

　「奨学金」は日本のばあい，周知のとおり高利の借金。奨学金という名がつくこと自体犯罪的だが，奴隷のごとくひとを働かせる非常に都合のいい装置でもあることを忘れてはならない。この借金をかえすため定職に就かねばならなくなるが，これは生きることの多義性を殺す。大学および大学の教員はこの状態をながらく放置してきた。よもやいないとは思うが，「借りたものは返すべきだ」とか，「学費無償化」に反対する大学の教師がいたら，なにも考えてないか，治癒しがたく愚かな証拠なので，その場で糾弾すべきである。ついでに愚かとしかいえない**就活**も，「新卒一括採用」などという古色蒼然たる企業のやり方も粉砕しよう。大学は職探しや企業に都合のいい人材になるためにあるのではない。▶負債

■栗原康『奨学金なんかこわくない！』，白石嘉治・大野英士編『増補　ネオリベ現代生活批判序説』，白石嘉治『不純なる教養』，岡山茂『ハムレットの大学』，雨宮処凛他『経済的徴兵制をぶっ潰せ！』

革命

　旧体制がはげしく瓦解すること。それまで抑えつけられ，耐えがたかったあり方に人民が否をつきつけはじめる。ないしは否をつきつけることを肯定しはじめるのだ。クーデタというのは権力内部の抗争であり，権力奪取の政治的技術だろうが，革命はひろく**人民**のものといえる。革命というとふつう，国家権力の奪取がつきもののごとく考えられているが，そうでない革命だってありうる。国家をなくす，あるいは権力関係や支配そのものをなくそうとする革命だってありうる。

　あらたな世の到来。じゅうらいの体制においては死んでいた者が息をふきかえす。そのなかで殺されたり，死なされた名，口にすることができなかった名がよびもどされる。価値の反転がおこる。いままで目にし，耳にしていた事物が，それまでとちがった，あらたな相貌をもってみえてくる，よみがえってくる。うごいていなかったものがうごきだす。人と世界のかかわり方が変わる。ゆえに革命はある者にとっては錯乱にしかみえず，またじしんが錯乱することにもなるだろう。それを歓迎する者とそうでない者との価値の衝突。ということは，ある集団と集団との衝突であり，旧体制のなかで特権を享受していた者たちは特権を剝奪される。権威も失墜する。没落する。過去の革命においては，逮捕・投獄・処刑，あるいは財産の没収もあった。

　革命派はいつの世にも存在する。革命派はいつも警告を発し，この世界がどのような仕組みでうごき，どのように非道や不正義がおこなわれているか，それをとりのぞくにはどうしたらよいかを考え行動している。ぎゃくに革命を抑止し，これを停止させようとする勢力だってある。こういう勢力を反革命という。もし現在，革命がもとめられているならば，それはどのようなものでありうるか。その主体はだれなのか。

▶人民，パリコミューン

25

家族

　現代の家族について考えるとき，魔女狩りとフィランソロピー（博愛，慈善事業）の考察が重要になる。家父長制的な家族とフィランソロピックな家族。魔女狩りはおもに 16-17 世紀，慈善事業については 18-19 世紀を考えねばならない。この時期，家族をめぐって大きな転機があった。そしてそれは女性の地位や役割におおきくかかわる。

　中世の農村共同体においては，女性は男性と同等かそれ以上の地位を享受しえていた。女は男と同等に農業に従事する生産者であり，共有地を管理し，しかも薬草などを栽培・処方する医術者でもあった。なかでも助産・堕胎技術に長けた者は，各戸が子どもを何人産むかを把握しえた。これは人口管理のカナメであり，共同体がどれだけの人口を養い，どれだけの生産力を得るかにかかわる。つまり女性は共同体の命運を握るとどうじに，生殖にかかわる自己決定権を行使しうる立場にあった。

　だがこのころプリミティブにではあれ勃興しつつあった資本主義は，自由につかいたおせる労働力を欲した。そこで 16-17 世紀になると**魔女狩り**が猛威をふるう。「産む機械」として女性を馴致するためには，種々の決定権をうばい，「家族」のなかに閉じ込め男に従属させねばならない。こうして放縦で淫らな「魔女」は断罪され火刑に処され，女は生きのびたければ貞節で従順な「主婦」への道を歩むしかなくなる。これを**継続的本源的蓄積**という。

　やがて 18-19 世紀になると，産業革命をへて貧富の格差も広がり，棄児，浮浪児，ストリートチルドレンが社会問題に。子どもたちはかっぱらいやゆすりたかりをし，ギャング団をつくって治安を脅かす。「危険な階級」の子どもたち。資本にとっては，これでは良質な労働力の確保もおぼつかない。そこで，子どもは手元において愛情たっぷりに育てないと，情緒不安定な，知能の低い，非行に走る問題児になりますよ，と喧伝し脅かす。こうして家族のなかに**博愛主義**がもちこまれた。母子関係が重視され，女は愛情たっぷりに子育てや家事（再生産活動）に専従せよと説く。「お母さん」の原型の誕生だ。ようするに，現代家族とは，**社会防衛**と**良質な労働力陶冶**のためにつくられた仮構なのである。▶

いい子／悪い子，階級，人民，生産／再生産，本源的蓄積

■フェデリーチ『キャリバンと魔女』，ドンズロ『家族に介入する社会』

貨幣

　なにか数量をあらわす，交換を円滑にするためのニュートラルで便利なものと思われているが，マルクスの価値形態論（『資本論』）においては，貨幣もまた**商品**だ。商品中の商品，商品の王様みたいに貨幣は存在し，最終的にはそれは**金**だということになっている。

　しかし，貨幣が生ものだったりしたらどうだろう。すり減ったり，いつのまにか腐ったり，壊れやすかったり……つまり使用しているうちに減価するものだったらどうなるか，などと考えてみよう。あるいはインフレーション，デフレーションという現象。紙幣がただの紙切れになる世界。または，モノはとりあえずどうでもよくなり，カネばかり追いまわす世界。インフレがはげしい国では，タバコが貨幣になったりする。デフレなら銀行や投資家がデカい顔をするだろう。

　硬貨にはなぜか英雄やら皇帝，国家のシンボルなどの肖像が刻印されていることが多い。これはどういうことなのか。貨幣というのは，じつは**強制力**なのではないか。権力者の顔が刻印されていたり，刷られていたりするのは，その権力者の威光なり誇示なりという要素がそこにあるということだ。貨幣の発行権が国家や中央銀行だけにある（貨幣国定説）のはガマンならないから，地元で独自に発行しようという地域通貨のこころみもある。地域通貨の是非はまあ措くとして，**ニセ金**とはなにかをここで考えてみるのもおもしろいだろう。

　そう，貨幣なんて，もともとなくてもみんなうまくやっていたのに，あるときいばりちらす乱暴な連中がやってきて，強制的に導入したのかもしれないと想像してみよう。そしてそれがなければ生きていけないようにしてしまったら……。それこそ，ある者にとってはものすごく都合がいい事態だ。デヴィッド・グレーバーは，古代ローマにおいて，鋳貨で兵役の対価や占領地での支払いがおこなわれたのが貨幣のはじまりだという。やがて鋳貨をたくさん所持する者がのさばり，もっていない者は奴隷に零落していったという。戦争，すなわち軍事的暴力と貨幣の誕生は密接につながりあっている。グレーバーはまた，紙幣とはもともとツケ払いの**借用証書**だったともいう。ちなみにマルクスは，貨幣＝カネをうけとることは「これだけ働け」という指図証だといっている。▶主権／権力，戦争／軍事的なもの，負債

■グレーバー『負債論』

感情労働

肉体労働と頭脳労働という言葉はある。いずれも対価が支払われることが前提となっている。ところが感情はどうか。かぎりなくタダにされている。たとえば「無償の愛」,「スマイルゼロ円」。われわれは日々感情をすり減らして働いているというのに。これはなにも対人サービス労働にかぎった話ではない。頭脳労働,肉体労働のなかに感情労働はたぶんに入りこんでいる。コミュニケーションスキル,チーム生産,カイゼン,職場の人間関係,プレゼン,接待などなど。どれもが感情的要素なしには成り立ちえない。

そして重要なことに,家事労働も事実上タダにされている。料理,洗濯,炊事のほかに,子育て,介護などなど。もちろん頭も使うし肉体も使うが,配慮する,気を使う,愛情をそそぐなど感情的要素が満載である。じぶんおよび他人の生命・生活を維持し,あすへとつなげていくという再生産にかかわることは,タダか,きわめて安く見積もられて,由来,女性が多くその労働に従事してきた,ということに注目しておこう。つまりこれは,**女性はタダか,とことん値切られている**ということでもある。▶家族,コミュニケーション,人民,生産／再生産

■ホックシールド『管理される心』

官僚制

　有名なものにウェーバーによる官僚制の定義がある。法・規則にのっとった業務遂行，上意下達，公私の区分，文書・書類主義，専門性，専業性などなど。ウェーバーは**合理化**の延長としてそれをとらえ，「鉄の檻」と表現した。

　これは裏をかえせば，融通がきかない，権威主義的であるのに卑屈，事なかれ主義。責任転嫁，保身，形式主義，手続き万能主義と，どこまでいってもロクでもない性質しかでてこないということでもある。おうおうにして，その存続・維持自体が自己目的化しがち。企業集団でも大規模化するとすぐ官僚制化する。というより，**大企業は官僚制そのもの**だ。

　官民問わず，官僚制に組みこまれ，身ぶりを身につけてしまうと，人間性を感じさせない，冷酷な人間ができあがる。日本などどこへいっても官僚制にぶち当たるので，まったく生きづらい。ここにも官僚制，あそこにも官僚制。アイヒマンがいたるところにいるのだ。

　ちなみに王の禁忌をやわらげるために官僚制ができたなんて話もある。庶民と王とのあいだに立ち，王の権威を仲立ちする役目。庶民にとっては王は絶対的すぎる存在なので，なんらかの媒介がないと物事がたちゆかないからである。神の代理たる王の言葉をあずかり，民に伝える僧侶の役割だ。官僚制の起源には，祭祀的なものがあると考えていいだろう。　▶企業，マックス・ウェーバー

■ウェーバー『官僚制』，ミルグラム『服従の心理』

企業

　資本主義におけるもっとも主要なアクター。こういってよければ, ファシストの戦士集団。自社のため, 利害のためならなんでもやる。もうけの戦闘機械。日本ではよく経営者が戦国武将に, 社員たちが武士団になぞらえられたりする。つまり企業とは家父長的な家族主義, 一家主義につらぬかれたファミリーであり, その本質においてはマフィアと大差ない。社員には組織への絶対忠誠がもとめられ,「24時間死ぬまではたらけ」「24時間たたかえますか」などと, ムリなこと, 洗脳的でカルト的なことを平気で押しつける。社長や上司が**サムライ**などといいだしたら, かなりマズいと思ったほうがいい (だいたい人を斬るための刀をいつももち歩いているなんてヤバいじゃないか)。

　企業は市場にナワバリをはる。そのナワバリにおいて, いかに消費者として住民を捕獲するかがその仕事となる。ナワバリに他企業がはいってきたら, 排除すべく争う。つまり独占・寡占をめざす。市場を制覇し天下統一というのが企業の夢だ。経済学者J・シュンペーターは, 企業の性質としてイノベーション (革新) をあげたが, ほんとうにそれだけか。その内実はもの凄く保守的じゃないか。徴税を主要な機能とする国家も, それに似てくる。▶国家

競争

　地位にしがみつき，保身をはかるために他人を蹴落とすさもしい行為。企業のばあいは，市場においてライバル企業を蹴落とす，追いはらうことである。たとえば消費者に商品を買わせる。A社，B社のどちらの商品がたくさん買われるか，どちらがより安く売ることができるか，どちらが市場を独占できるか。労働者であれば，ひとつの雇用のポストをめぐってライバルたちと争う。そして雇われたあとは，ノルマ達成とか，業績だとか，成果をだすとかで同僚と競いあうことになる。

　競争にも二種類あるかもしれない。保身のために他者を蹴落とす競争。これは下に落とされないための競争だ。あとのひとつは，すでに地位は確保しているものの，さらに一歩抜きんでよう，上へ向かって飛びでようとする競争だ。原理的に考えれば結局はおなじものかもしれないが，状況によって意味が違ってくる。だがまあ現代において，おおよそ競争というものは前者として存在する。疲弊するばかりだ。

　自由な市場におけるフェアな競争が世の中をよくするなんてのは，大嘘。「いやいや，機会を平等にあたえれば可能だ」とかいう輩もいるが，スタート地点が違うのに競わされるなんて不条理だろう。そもそも自由市場とは，より強いものが独占・寡占をしてもいいことになっているのだから。

　あるいはもっとシンプルに，競争なんてほんとに必要なのか，と考えてみよう。めざしているものが違うのに競争させられるなんておかしいし，こちらは競争する気なんてさらさらないのに，相手が競争する気満々だったりして，まずもって面倒くさい。そしてなにより，われわれを競争させておくことで得する者がいることにも思いいたるべきだろう。いつも競争競争とわめいているのはだれだろう？

　しかもじっさいには，競争というものは，経営側が忌み嫌うような「ムダ」をおおいにうみだしている。時間のムダ，資源のムダ，労力のムダなどなど。▶能力，企業

近代

　大ざっぱな時代区分というものがある。高校の世界史や日本史で買わされた年表では、だいたい原始、古代、中世、近世、近代となっていただろう。この配列の意味はといえば、あとの時代は直前の時代を否定しているということだろう。

　おそらくこんな感じだろう。原始状態の無秩序・非文明状態から脱して古代に→古代の専制帝国が衰退・解体し、封建領主が割拠する中世に→暗黒の中世から絶対主義的な王権が登場して国家をつくる近世に→そして王権の支配を廃止して**近代**に。そこでは近世に育ってきた啓蒙主義をもとに、身分制を脱し、法の下の平等が保障され、自由で自立した市民が支配する……というように。

　ということで、近代の価値観というのは、それまでの世の中は遅れていて、生産力は停滞し、人びとは蒙昧だった、という認識にもとづく。だから進歩はよい、開発はよい、技術革新はよい、変化はよい、スピードはよい、という価値観になる。これらはじつはすべて市場にむすびつけられている。**市場における競争**が近代社会のモデルなのだ。だから「近代」というと隠されてしまうが、ようは**資本主義**であり、**経済が価値の中心にくる**のだ。したがって経済的に弱い人、経済を価値の中心にして生きていたくない人、経済に興味のない人などが排除される。

　「近代は未完のプロジェクト」というが、それは資本主義中心の世の中を完全に完成させようということで、そのはてがいい世の中だとは思えない。唯物史観の「アジア的→古代的→封建的→近代ブルジョア的」という区分も、近代の価値観をひきずっている。さいごのブルジョア社会がいちばんすすんだ社会で、飛躍的に生産力がたかまったというふくみがある。▶競争、文明、唯物論

■ラトゥール『虚構の「近代」』、ボードレール「現代生活の画家」

グラフィティ／落書き

　夜陰に乗じて生産され，街の意識に浮かび上がるそれはきっと夢である。思わぬところに，ふだん気にもしないところに，とつじょあらわれ，謎や痕跡をのこしていく。去来しては，一瞬，目にはいり，そして忘却される。いったいだれが描いたのか，どうやって描いたのか。この形はなんなのだろう。なんという色使いなのか……。なにか懐かしい気もするし，不定形で，ふわふわしていて，浮遊していて……とても非人称的なのだ。

　グラフィティ／落書きが描かれれば，「市民たち」は必死に躍起になって消そうとするだろう。あるいは描いた者を血眼になって捕えようとするだろう。地価の高い高級住宅街であればなおさら，住民は発狂する。いい気味だ。「良識ある」かれらはこんなものはじぶんたちの目に見えるところに存在してはならないと考える。徹底的に取り締まられねばならない。「**自我はエスにとって警察である**」というフロイトの言葉を思いおこしてみよう。清潔な白壁に囲まれた狂気に抗うかのようにそれはえがかれる。タギング，ボム。落書きひとつない街などというのは，きっと**カフカ**の『城』のような恐ろしい街に違いない。気が狂っている。

　日本ではたぶん1980年代に始まり，95年ごろに変化した。はじめは暴走族の「〇〇連合参上　夜露死苦」が主流だったのが，いまわれわれがみているグラフィティへ。はじめから消失することを前提にそれでもえがかれつづける。スクラッチティという刻みつける方法やステンシル，ステッカーなどもある。まずはゆるりと鑑賞することからはじめよう。都市の無意識を読むということ。▶**都市，ジェントリフィケーション**

グローバリゼーション

　冷戦期においては体制のちがう米ソが世界を牛耳っていたが，1991年，いっぽうのソ連は崩壊。それ以降，しばらくはアメリカのひとり勝ち状態となる。そしてこのころからじぶんたちのやり方を「グローバルスタンダード」として世界に押しつけていく。もちろん，これには世界の多国籍企業がもろ手をあげてのっかる。国境を下げ，資本がどっとはいり，人・モノ・カネ・情報のネットワークをつくる。新自由主義を世界大に拡大し，自由貿易体制をひろげる。

　アメリカは3つのMによってこれをすすめた。すなわちマネー，メディア，ミリタリーだ。高速でとびまわり，もうけが上がりそうなら見境いなく投資し，上がらなければあっというまに引き上げるマネー。ニューヨークとハリウッドを中心にしたセレブな価値観を怒濤のごとく流しこんでくるメディア。圧倒的に強力な米軍を中心とした多国籍軍の軍事力で脅し，いうことをきかなければ最終的には軍事行動をもって主権を粉砕するミリタリー。しかし，これら3つのMによる覇権もリーマンショックで破綻。世界はつぎの段階，ポストグローバル化の段階にはいっている。御本家のアメリカでもヨーロッパの一部でも，グローバル化はまちがいだったんじゃないの，という空気がただよいはじめている。90年代に反グロ運動をはじめていたひとたちからすれば，だからいったろ，いまさらかよ，といいたいところ。

　日本では，いまだグローバルだなんだかんだとうるさく，はっきりいって恥ずかしいだけなのだが，為政者も資本も官僚もどうしようもないからしょうがない。▶新自由主義，戦争／軍事的なもの，主権／権力

警察

　統治のための**暴力装置**。民衆の反権力的行動から統治体（国家・市場・社会）を防護するのがそもそもの役目で，暴動，蜂起，反乱を物理的に粉砕する機能をもつ。反群衆的価値にもとづき行動する武装した軍団。したがって警察とは，個人を危険や犯罪から保護するよりも，権力者や政府や統治機関を防護する色あいがつよい。名称がギリシャの都市国家に由来することに注意。ギリシャ語のポリス（πόλις）とは，参政権をもつ少数の「市民」が，反乱可能性のある住民を統治する形態をさす。

　古代，中世ともに警察的なものは存在したが，その時代ごとに形姿は変化。現在われわれが考える警察は**19世紀になってやっと形をととのえた**にすぎないか，あるいは，そもそもがきわめて19世紀的な現象といっていい。統治秩序が危殆に瀕せしめるような要素をあらかじめ排除するためなら，生活内部にまで干渉し，コントロールしようとする。なかでも下層民対策は統治の維持の根幹にかかわるため，とくに重要だった。

　日本では戦前・戦中の反省から，内務省を解体し国家警察の縮小がおこなわれ，自治体警察に分権化されたが，またもや集権化がすすんでいるかのような情勢である。しかし民衆の反警察的価値観はいつの時代にもひそやかに息づく。警戒しなければならないのは「市民」の警察化だ。▶**統治，国家，暴力**

■菊池良生『警察の誕生』，大日方純夫『警察の社会史』
『ポチの告白』，『ロボコップ』（1987）

刑務所（的なもの）

　刑務所は近代の産物といっていいだろう。フーコーが『監獄の誕生』で明らかにしてくれたように、監獄は「**理想社会**」だ——なににとっての？　資本主義にとっての、である。

　刑務所はプロレタリアの生産工場となっている。まずだいいちに、監獄は「罪」を「時間」との等価物に変換する。「歴史上最初の監獄の例は、（その内部構造に関する限り）工場をモデルにしていた」のであり、「監獄内の人間は、〔…〕精神病院とは名称以外ではほとんど違わない巨大な獄舎の中で、目に見えない犠牲者として精神的に荒廃していくのである」（ホルクハイマー／アドルノ『啓蒙の弁証法』）。こう考えると、工場だの企業だのも刑務所的なものにみえてこないだろうか。

　アメリカなどでは新自由主義的なワークフェア政策（なんでも労働とひきかえ、とにかくタダでは福祉を与えない政策）がすすむにつれ、社会保障・福祉がとことん削減され、追いつめられた貧困層や黒人がたいした罪も犯してないのにどんどん刑務所にブチこまれ、失業が増加。しかし失業率がそれほど高まらないのは、その人口が刑務所に移行しているからだといわれた。これには 2000 年代以降の刑務所民営化もからんでいる。経営をになった会社の利益のために収監がふえたのだ。腐ってる。エディ・パルミエリの Live at Sing Sing、アーチ・シェップの Attika Bruce を聴こう。▶**新自由主義、ミシェル・フーコー**

■フーコー『監獄の誕生』★p.221、ホルクハイマー／アドルノ『啓蒙の弁証法』★ p.222、ヴァカン『貧困という監獄』
◎Dread Beat An'Blood

痙攣

それを力の解放の予兆ととるか，防衛的な反応ととるかで話はちがってくる。まず殻を破る／破ろうとすること，われわれを閉じこめているクリスタルな多面体を割る／割ろうとするそのとき，痙攣は起こる。それはなにかとても舞踏的なもののように思える。殻を割り，踊りへと身を投じる。痙攣とはきっと，その解放感を表現したものなのだ。それはおそらく精神のリズムと身体のリズムとが一致しようとするとき起きるのにちがいない，外へ広がろうとする，伸びをしようとする，たぶんに遠心的な運動だ。

これにたいし，恐怖をおぼえるもの，見知らぬものに相対したときも，身をこごめて痙攣的になるのだろう。こちらは求心的な運動かもしれない。精神が身体の表面へと出ていかないようにするときに起きる反応といっていいだろうか。こちらはぎゃくに，殻に閉じこもろうとする防衛的な反応である。

精神と肉体の微妙なズレを表現するこの現象をこまやかにとらえる。**ファシストはきっと踊れない**。というよりたんに派手なだけか，タテノリの貧相な踊りしか踊れない。

■ディディ゠ユベルマン『残存するイメージ』

言語

　言語とは記号と意味とにわかたれて，他者にたいしなにか意味を伝達する手段であるという考え方がある。相手になにか伝えたいばあい，意味が明晰であるような記号をきちんと相手にしめし，相手もその記号／意味を共有できるならば，そのいうところを明瞭に了解してもらえる。おたがい記号と意味の結びつきが一義的に決まれば，それは伝達の手段として完全性を発揮し，正確に操作運用すれば，一瞬にしておたがい了解が可能，というわけだ。

　これはある意味，主体にたいし言語が自律的なものだとする見方だ。言語は主体にとってうごかしようがないが，その自律した言語のなかから主体は的確な言葉をえらんで使用するのだから。こういうのがおおよそ近代の言語観というものだ。

　しかし，つねに言語はあらたに生成しているし，変化するものだろう。意味ははっきりしないけれど，それでもなにかいわんとする言葉だってある。支配的な言語は支配者の言語であるという文句のとおり，その社会を支配する者のもちいる語彙や用法が一般的になり，言語が支配の道具になるばあいすらある。そこでは被抑圧者は言語そのものも抑圧されている。

　なにをいってるかわからない，謎の，異言のような，あるいは意味にまで到達しない言葉，しめすものとしめされるものがバラバラにされた言葉，そこには雑多で錯綜したなにかが投げこまれている言葉——そういう言葉の存在そのものがなにごとかをあらわしているということがあっていい。われわれは，そんな言語ともっと向きあうことがあっていいはず。▶詩人

原子力

　すでにこのうえもなく愚かな技術。核兵器はいわずもがな，発電につかわれる原子炉はたんなる巨大な蒸気機関のくせに，施設全体が致命的に危険である。産業革命の帰結のひとつ。産業革命がテムズ河やロンドンの大気を汚染したように，原子力も大気や大地，海洋を汚染する。人類はいまだ産業革命の段階で止まったままなのだ。

　産業革命が大量の貧民をつくりだし必要としたように，この巨大な「蒸気機関」も貧民をつくりだし必要とする。産業革命期より影響力も格段に大きくなっており，汚染の程度や被害も甚大だ。そのうえじぶんで出した廃物の後始末もできないくらいである。いちど周辺環境を汚染したら回復するのに数万年，数億年かかったりする。研究施設も発電所も，破壊するにしてもとんでもなく手間がかかる。こんなあぶない，やっかいで，旧態依然としたものにいつまでも頼っていいのだろうか。やめさせるためには，1ベクレルたりとも出すことを許さないと，いますぐきっぱり拒否しなければならない。▶福島／フクシマ

■ユンク『原子力帝国』

チェルノブイリ原発事故で無人となったウクライナ・プリピャチ市。
中央遠景に原子力発電所が見える

公害

　たとえば **不知火海** 総合調査。われわれは「水俣病」について，日本窒素肥料株式会社（のちにチッソに改名）という化学肥料会社が有機水銀を海にたれ流し，それを体内に蓄積した魚介類を食べて人間が発症したという生物学的な因果関連は知っている。だが，それとはべつの因果を探ったのがこの調査。社会学・歴史学・民俗学などの知見により，公害をめぐる社会・歴史的な因果関係の存在がうかびあがった。

　1905 年，資本金 100 万円で設立された窒素（株）は，20 年代，日本経済低迷の時期にあっても工場を拡張。30 年代には朝鮮窒素興南工場を建設。35 年よりはじまる重化学工業化のなかで生産を拡大。戦時期には爆薬原料をつくり軍需工場と化していた。水俣病の確認できる最初の発症例は 1942 年にさかのぼるが，原因究明は遅れ，裁判はもつれ，補償はいまだ解決をみない。なぜなのか。

　患者が多く発生したのは，零細な沿岸漁業をいとなむ，この土地においては差別された漁民のいる地区だった。この差別構造そのものが，原因究明を遅らせる。東京大学医学部は戦時中，米軍の攻撃をうけて撃沈された日本海軍艦艇から漏出した化学物質が原因だなどといった。チッソは近年にいたっても，数々の汚染物質たれ流し，爆発事故，劣化ウラン等核廃棄物のずさんな管理など，非道なことばかりくりかえしている。当然ながら国と行政（熊本県）も責任をみとめていない。

　足尾銅山鉱毒事件の古河，新潟第二水俣病の昭和電工，イタイイタイ病の三井，カネミ油症のカネミ，四日市ぜんそくの三菱，そしてもちろん原発事故の東電……**企業**をなくさないかぎり，公害もなくならないのか。

　ところで，不世出の公害研究家である宇井純の所見にもとづけば，公害による汚染は公的発表の 10 倍以上あると思っておくべき。そして，「公害」の背後に，歴史・社会の構造がげんに存在することを知るべきであろう。　▶原子力，福島／フクシマ，企業

■石牟礼道子『苦海浄土』，宇井純『公害原論』

乞食

　いまでは使われなくなった言葉。物乞いする人。ホームレスと同一視されている。ゴザをひいて空き缶を置き，お金を入れてもらうというのがステレオタイプなイメージとして過去にはあった。「こじき」と読むが「こつじき」とも文献にでてくる。

　現代日本では物乞いという現象はほとんどみられない。存在するとしても非常につつましい。存在をできるかぎり消すことが「乞食」のありようであるかのごときだ。しかし歴史的に，あるいは世界的にみれば，かれらはもっとその存在を主張している。物乞いするにしても厚かましく，たくましさを発揮する存在であることが多々みてとれるのだ。乞食はもっと「あらわれなければならない」のだ。

江戸中期に寺島良安という医師が編纂した百科事典
『和漢三才図絵』（1712）に描かれた「乞食」の図

国家

　発生初期からいえば，国家もまたそれが少しずつ発展してできたというより，ある住民がいるところにいきなり他部族がやってきて，それを征服し，反乱・反抗を鎮圧し，平らげたところにできたものだと考えるべきかもしれない。その意味で，国家の形成は都市の形成ともおおいに関係している。これはある集団がある集団を支配するということ。

　古代であれば，ローマ人がローマ帝国をつくり，他の地域を次々と併呑してゆく。中世であればゲルマン人が大移動し，やはり次々とローマ帝国の土地を簒奪して王国を形成した。近代になると，ブルジョアという種族がプロレタリアという種族を襲い，囲いこみ，番号を打ち，仕事に就かせ，税金を巻きあげる。

　国家は暴力装置を備えている，というだけでなく，それ自体が暴力のひとつの形態でもある。レーニンは，国家について，それを階級対立の非和解の産物だといった。シンプルすぎて今ではかならずしも妥当しないかもしれないが，それでも一考するに如くはない考察といえる。ブルジョアという一階級がプロレタリアという一階級を支配するさい，二つの階級の利害は絶対に和解しない性質のものなのだが，和解しないことに由来する矛盾を覆い隠し，階級支配に対する闘争を最終的には暴力をもってして押さえつけておこうとするところにつくられたのが国家だというわけだ。

　ところで，人類学者ピエール・クラストルは，未開社会は国家を出現させない社会だと指摘した。「このようなことはすべて，経済生活のレベルでは労働と生産に呑みこまれてしまうことへの未開社会による拒否，ストックを社会 - 政治的必要に限定するという決定，競争の本質的不可能性——未開社会において，貧者のさなかで富める者であることが何の役に立つだろうか——，ひとことで言えば明示されてはいないが言明されてはいる，不平等の禁止に表現されている」。クラストルは，未開社会が，われわれが知るような「必要」への拒否の態度をもってい

るという。より多くはたらかない，上下関係が生じないようにするにはどうしたらよいかだけを注意しながら，社会が運営されるのだ。このように，人類学は，未開社会が国家の出現を忌避し，阻み，それに抗する性格があると多々報告するのだが，含蓄たっぷり。▶**階級，競争，近代，主権／権力，人類学，文明，暴力**

■クラストル『国家に抗する社会』★p.218，スコット『ゾミア』，サーリンズ『石器時代の経済学』★p.219

樽のディオゲネス

陽が差さないから
どいてくれないかね

アレクサンダー大王

《国家，どけ！》
国家とは，樽をすみかに自律して生きるディオゲネス（＝人民）にとって，
陽をさえぎるアレクサンダー大王のようなもの

コミュニケーション

　感情労働のひとつ。とくに日本社会では「空気を読む」こと，多数派になること。上下関係がここにはいれば，上には阿諛追従，下には懐柔することと同義となる。

　コミュニケーションとは，相手との関係を望ましく円滑にするために，感情を抑えたり，押し殺したりしながら心に操作をくわえる。たとえば，職場でいきなりキレたり号泣したり，不安定な状態になれば，仕事はすすまなくなる。コミュニケーション・スキルなどといわれているものは，まずだいいちに，感情を抑え，安定的でバランスのとれた人格を演じられるようになることだ。この傾向がすすめば，あたかも会話がつねにノリとツッコミのようなものになっていくことが予想される。たまにはいいかもしれないが，そんなのばかりだと，うっとうしいし，本当のことが話せなくなってしまう。本来は，他人と意思疎通をはかる大事なもののはずだが，現代では異物排除や抑圧の道具になっている。

▶感情労働，疎外

感情はいずれ爆発する。
「もうムリ！」と思ったら，ツェッペリンのデビューアルバムでも聴いて，
「コミュニケーション・ブレイクダウン!!」と叫んでウサをはらそう

コミュニズム

　資本主義がいちばんすぐれていて，また，それが永遠につづくなどというのはまったくバカげた話，根拠のない空論である。いったいこの世界は豊かだとか幸せだといえるのか。ケチ臭かったり，ひとを追い落としたり，ひとり占めしたりすることが原則になっているこの世界の，どこがすぐれているというのか。それとはちがう原理で生きることを可能にしようとするのがコミュニズムだ。

　コミュニズムへといたる経緯はさまざま。**マルクス主義**であれば，搾取されているプロレタリアートが国家権力を掌握，国家に生産手段を集中させ，生産力を高め，生産物を平等に分配して，いちど社会主義を経過してからそののち国家が衰退するだろうという展望をえがく。生産力が飛躍的に伸び，いまある生活水準以上の生活を将来享受できるという未来像。進歩史観だ。

　これにたいし，コミュニズムはいまここに，もうすでにあって，それを広げていけばいいという考え方もある。ひとはタダでいろんなことをしている。だれかが落としたモノを拾ってあげるのにいちいちおカネなんかとらない。子育てだってべつにカネをもらってやるわけじゃない。みなそうやってタダでいろんなことをしているんだから，それを広げていく，共有するものをふやす，いちいちカネなんか必要のない世界をつくっていこうというやり方だ。いわば**相互扶助**の共同体（＝コミューン）をぼこぼこつくってコミュニズムをたかめていくのである。近代をもっとすすめて高度な共同社会をきずく，ぎゃくに中世や原始時代に手本をもとめるなどなど，いろんな立場がある。

　いずれにしても，つきつめて考えたり，あるいはじっさいコミューン建設に着手したりすると，やがて国家をどうするかという問題にブチあたる。まずは，いばりくさって抑圧的，強権的なものが幅をきかせない世の中，カネの話をすることが場違いになるような状態，というようなイメージをいだいてみるのがいい。　▶国家

財（産）

　所有という言葉は，英語で possession。動詞 possess には，とりつく，憑依するという意味がある。憑依現象とは，モノノケ，霊などが人間や動物，事物にとりついて人格や身体をのっとってしまうことだ。憑依することでそのモノを支配し，自由にすることができるというわけだ。いってしまえば奴隷状態。モノの奴隷化。カネで他人の影響力を「祓って」じぶんのモノにする。所有するだけのカネがある者は，なにを手にいれるだろう？　クルマ，土地，不動産，貴金属，生産手段，なんらかの投資対象……財（産）とよばれうるものは，どれも支配とカネもうけにかかわる。

　資本主義社会では労働力を売買するわけで，労働力は商品である。これはほんらい無理筋で，でも結果的にしてしまっているという説がある。こういうのを「**労働力商品化の無理**」という。なぜならそもそも商品としてうみだされたものじゃないし，市場経済の外側でうみだされたものだから。ここに資本主義の根本の矛盾があるという説（宇野弘蔵）。ここから，かりに労働力が，労働者が所有する「財」だとすると，その処分権も労働者にあるということにしている。労働者は労働力という財を売りつづけることで生きていきなさい，というわけだ。

　とにかくこの社会では，使用価値があるから財なのではない。「希少性」があり，おおくの貨幣と交換できればそれは結果的に財となる。有形のものもあれば無形のものもある。無形の財といえば，最近は**知財**だの，著作権とかパテントとかうるさいだろう。**情報**なんていうのもそうだ。そこで想像してみよう。極端な話，「あ」という文字をつかう権利をだれかが買い，それを独占したとする。「あ～あ」というたびにそいつに金を払わなければならないとか，「あ」ではじまる歌を口ずさんだとたんどこぞの団体に金払わなきゃいけないとか。地獄だね。

搾取／収奪

　1日生きるのに,かりに3時間働けばその日の生活に必要なものを手に入れられるとしよう。それがその社会の生産力だとしよう。しかし,こすっからい資本家は8時間働かせて3時間分の賃金しか支払わないとしよう。つまり,労働者はとりあえず生活できればよく,労働外の時間は好きなことをしていたいのに,5時間余計に働かなければいけない。資本家が労働者をだまして5時間分をくすねとってしまうわけだ。こういうのを**搾取**という。

　3時間働けば必要なもの,すなわち生活資料をその社会で生産できる。これに要する労働を必要労働という。搾取される5時間分は,剰余労働ともいう。資本主義社会ではこれが全面的になってしまっているので,8時間働かないと生きていけないと思わされてしまっている。こうなればしめたもの。そこに資本家がつけいってくる。

　いっぽう,**収奪**というのは,それがあれば生きていける生活のベース——食料をつくる土地や資源など——を,カネの力や暴力,あるいはダマして奪ってしまうこと。それによって,先住の民が労働力を売らなければ,つまり賃金をもらうために働かなければ生きていけなくしてしまう。明治政府によるアイヌの収奪,白人入植者によるアメリカインディアンの収奪などが典型。ようするに植民地であり,囲い込み(エンクロージャー)である。▶**本源的蓄積,エンクロージャー**

サンディカ

英語のシンジケートは企業の連合体とかマフィアをさすが，フランス語のサンディカ（syndicat）は**労働組合**の意。労働組合というのは，資本主義社会において資本家や経営者による不当な搾取をしりぞけるために，労働者が組織してそれとたたかうためのもの。

たたかい方はさまざまだが，そのもっとも大きな武器としてストライキがある。残念ながら，現在では組合の多くがたたかわない，ストなどもってのほかという組織になってしまっており，あろうことか経営にとりこまれ，経営者と一緒になって労働者を抑圧するような組合すらある。そういうのとは違った集団を形成することが必要だ。歴史をふりかえれば，組合という名前がついておらずとも，非常に重要な役割をはたした労働者の集団が無数に存在してきた。そのような集団の生命力，闘争力をこそ，ふたたび獲得する必要がある。

日本のばあい，1946〜50 年ごろまで**産別会議**（日本共産党を支持），1950〜89 年まで**総評**（社会党を支持）という労働組合の中央組織（ナショナルセンター）が存在した。それなりに戦闘性があり，戦後史において大きな存在感を示した。現在は連合というのがあるが，まるで存在感がなく，そもそも労働者のためになっているかどうかすら怪しいものになり果てている。

じつは**大学**も，もともとは組合的なもの。中世のヨーロッパで，勉強したいと思った若者と教師の集団が，それをじゃまましてくる教会や国家，地域の権力に対抗するために力をあわせたのが大学のはじまり。▶

ストライキ／サボタージュ

■喜安朗『革命的サンディカリズム』，入江公康『眠られぬ労働者たち』，シャルル＆ヴェルジェ『大学の歴史』，岡山茂『ハムレットの大学』

GM作物

　GM（Genetically Modified：遺伝子組み換え）作物がもたらす問題は，おおきくいって①安全性への疑問，②生態系への影響，③企業による農業の独占の問題である。ひとくちに安全性といっても，じぶんが食べて即効で被害をうけるだけではない。ゆっくり，じょじょに影響がでる可能性だって否定できない。世代を超えて影響がでる可能性だってある。生態系への影響とて，害虫抵抗性や除草剤耐性のある作物がばら撒かれればどんな影響がでるのかはわかっていない。

　従来は収穫性が開発のおもな動機だったが，現在は第二世代にはいっている。機能性付加食品の開発だ。ビタミン，タンパク，抗アレルギー剤，ワクチンなどをくわえた「夢の食品」が開発されている。そんな不気味なものを，企業の利益のために食いたいか。

　農業における問題は，おもに種子の独占である。多国籍バイオ化学企業モンサント社は，撒けばその作物じたいを枯らすほどの強烈な除草剤と，それに耐性のある種子とをセットで売っている。しかも，農家に種子を売るさい，「この種を自前でふやさない」という契約にサインさせる。メキシコでは，ある農家の畑に自社の GM トウモロコシの種をわざと落としておき，育ったところでその農家を知的財産権侵害で訴えた。メキシコ政府を動かしてまで農家をおとしいれたので騒ぎが大きくなり，批判をあびることになった。まさにマッチポンプ。同社はこういうあくどいやり方で，GM 作物の種子で 9 割ものシェアを占めるにいたった。▶農業

ジェントリフィケーション

　言葉どおりにとれば，紳士化，高級化。都市再開発。スラムクリアランス（貧民街一掃）ともいう。さびれて地価が安くなった土地に資本がどっとはいり，じぶんたちに都合のいいようにつくりかえる。ピカピカのガラス張りの高層ビルやマンション，ショッピングモールができる。で，地価上昇。資産価値が上がったり，家賃やテナント料を上げることができるので，不動産屋やディベロッパー，家主などは笑いが止まらない。**スタバの開店**は，その界隈にジェントリフィケーションがおきるきざしらしい。

　そのいっぽう，住民が立ち退きさせられたり，ホームレスが追いだされたり，無料だったものが有料になったり，なにか買うのに行列にならばなければならなかったり，タバコが吸えなくなったりする。セキュリティ会社がのさばる。警察，警備員がうろつきまわる。デモができなくなる。▶都市／農村，グラフィティ／落書き

スタバ開店はジェントリフィケーションのきざし？
鳥取市のモール内にある店舗（©KASEI）

シカゴ学派

　シカゴ大学につどった社会学者たちの集団。「ヒューマンエコロジー」を創始し，多数の学者を輩出した。徹底した観察を方法の中心におき，それをもとに記述した「モノグラフ」を大量に残す。ドイツの社会学者ゲオルク・ジンメルの影響をうけ，人間の相互作用に注目する。有名どころで，Ｗ・Ｉ・トーマス，Ｒ・Ｅ・パーク，Ｎ・アンダーソン，Ｅ・Ｗ・バーゼス，Ｆ・ズナニエツキなど。Ｇ・Ｈ・ミード，Ｅ・ゴフマン (p.135)などもそれにくわえていいだろう。日本でこの学派が知られるきっかけとなった翻訳書をいくつか紹介しておく。

■パーク／バーゼス／マッケンジー『都市——人間生態学とコミュニティ論』…フォーディズム下のシカゴを素材に，都市構造と人間のかかわりを分析。

■アンダーソン『ホーボー——ホームレスの人たちの社会学』…渡り労働者の生態を描写・分析，なぜホームレス生活をおくるのかを探究。

■トーマス／ズナニエツキ『生活史の社会学——ヨーロッパとアメリカにおけるポーランド農民』…都市化でポーランド移民の暮らしがどのように変容したかをえがいた。

アンダーソンが著作を発表したころのシカゴのホーボーたち（1929）

嗜好品

「**世界商品**」というものがある。代表的なものでは，綿花，砂糖，タバコ，染料，銀，茶，コーヒー，ゴムなど。いずれもプランテーションで奴隷を使用して，アジア・アメリカ大陸など西欧の植民地で作られてきた商品だ。16世紀以降，世界システムができあがり，奴隷を調達することでこれらの大量生産が可能になってゆく。目につくのは，そこには**習慣性・依存性**のある嗜好品が多く含まれること。

タバコは15世紀ごろ，アメリカ大陸からヨーロッパにつたわり，たちまち世界中にひろがって，「カネになる作物」となった。いまや万病の要因と喧伝されているが，もとは万能薬だった。

砂糖も，もともと薬であり保存料だった。神学者トマス・アクィナスは，ヨーロッパ以外でつくられる食品を「悪」としたが，砂糖だけは除外。はじめはたいへん高価で，貴族のような金持ちしか賞味できなかった。砂糖で城のミニチュアをつくって見世物として自慢する貴族もいた。しかし増産されるようになり，価格が下がると，中間層にまでおりてくる。ヨーロッパで紅茶に砂糖を入れる習慣ができたのは，植民地から大量に供給されるようになり郷紳（ジェントルマン）たちの口にもはいるようになってからだ。その紅茶にもいわくがある。イギリスでは，昼間から酒をかっくらう労働者を働かせるため，かわりに紅茶を飲むよう仕向けた。

あるいはコーヒー。17世紀，オスマン帝国からヨーロッパにコーヒーハウス（今でいうクラブのようなもの，流行の発信地）がつたえられ，嗜好品として一挙にひろまっていった。コーヒーは，もとはイスラムの神秘主義者スーフィーたちが儀式でもちいる秘薬だった。飲むと眠くならない（いつも覚醒している），食欲をなくす（食事というムダなものをはぶける），痩せる（肥満は悪）からだ。世界中に伝播すると，紅茶とおなじく酒のかわりに飲まれるようになり，労働者がよくはたらくようになって産業革命がおきた，なんて話もある。チョコレート（コ

コア）も，興奮作用のある飲み物として嗜好された。

　砂糖の，純白の，まじりけのない，あの純粋で，強烈な甘さ。それ以前のヨーロッパでは，甘味料といえばメープルかビートだっただろう。あの純白の粉は，それを知りはじめた中世のヨーロッパにとって**麻薬**だったのだともいえるかもしれない。となると，**ドラッグが世界システムをつくった**のか？　などと考えてみる。需要がふえたから大量生産するようになった，といった単純な話ではない。世界システム，帝国主義，資本主義といったものと，習慣性・依存性のある嗜好品の生産には，なにかかかわりがありそうだ。

■川北稔『砂糖の世界史』，臼井隆一郎『コーヒーが廻り世界が廻る』

パリのカフェで普仏戦争の先行きを論じあう人々
（『イラストレイテド・ロンドンニュース』1870 年 9 月 17 日より）

詩人

　神話をつくる人のこと，つくれる人。プラトンなどそれを知悉しているがゆえに，『国家篇』では共和国から詩人を追放したのであった。

　詩人は従来の言葉の秩序に亀裂をもたらし，どのような効果をもたらすかわからない言葉の組み合わせ・配列を自由につくる。しかもそれは韻をもち，律によって整序される。詩はもともと誦され，人に音として聴かれたものである。聴かれることによって，人の心のなかに，新たな，それまでになかった情動や感情の効果をもたらすのだ。言葉のこの錬金術的な効果こそが，現存秩序を保持しようとする側にとっては脅威となる。詩の言葉は**現にそこにあるものを破壊する**のである。

　それはおもに言葉によって構成されるが，詩的なものは言葉だけによるとはかぎらない。行為によっても，またモノによっても出現させることができる。詩人というのはある呪的な伝統を引き継いだ巫覡（シャーマン）——その社会にあってイメージや感情，知識，はたまた死んだ人，怪物，異なる者や革命を召喚し，呼び起こす者——のようなものであるのかもしれない。

　詩人をこのように神秘化するいっぽう，詩というのは非常に簡便な伝達手段であったともいえるかもしれない。状況を瞬時にとらえ，覚えやすく，人から人へ口伝えに伝えられるモノとして詩をとらえる。だから口誦にのるものとして，事件の記録と場面喚起の機能をもち，記憶として保持されやすくなるのである。詩人とは，そのようなことを修練してできる人のことともいえるかもしれない。

■ブスケ『傷と出来事』，黒田喜夫『燃えるキリン』，現代思想 2007 年 12 月臨時増刊
　　号『戦後民衆精神史』

失業者

　こういうカテゴリーが存在し，よくないこととされているのは，雇用がとりもなおさず当たり前の前提になっているということ。失業とはすなわち，雇用されてない異常な状態というわけだ。じゃあ「雇用」はといえば，労働市場に参入し，労働力の売却と引き換えに賃金を受けとること。半分身売りみたいなものだろう。

　失業が増えると資本家は喜ぶ。賃金を下げる圧力がかかるからだ。経済学者ケインズは，失業が社会にとっていちばん悪いと考え，公共投資の理論を考えた。ケインズ主義の政策では，政府は完全雇用をめざし，失業率を2％以下に抑えようとする。でかい穴を掘って，その穴を埋めるのに金を出せばそれは雇用になる。

　ケインズ主義を放棄した新自由主義経済では，したがって失業が激増。しかし失業者がすごく増えたのに，失業率がそれほど増えていないというおかしな事態になった。よくよく調べてみると，失業した人がそのまま**刑務所**に収監されていたのだ。失業人口が刑務所人口に移行，これが1980年代以降のアメリカの姿である。

　雇用されていることが当たり前の社会では，失業すると必然的に生活が立ちゆかなくなる。自殺もふえる。刑務所方式は失敗したので，こんどは**経済的徴兵**をもくろんでいる。戦前ドイツでは失業の激増がナチスの台頭をまねいた。けっきょく，失業者は世の矛盾を一身に引き受けることになる。話はかんたんで，失業しても生きていける世の中をつくればいいだけなのに。▶刑務所（的なもの），新自由主義

終末論

　世の終わりが到来するという考え方。キリスト教では黙示録（アポカリプス）。世界が崩壊し大混乱が起こり，とんでもない災厄が人類に降りかかる。カタストロフィー。おおよそ話の結末としては，混乱があらかたおさまったあとに望ましい世が訪れることになっている。使徒パウロによる「テサロニケの信徒への手紙　二」(p.220) には，「カテコン」という謎の存在があらわれる。いつになったら終末がきてイエスが再臨するのか，と焦れる人々にたいし，いまはカテコンがアンチキリスト（キリストの教えにそむく者）を抑えている段階で，そのため終末もイエスの再臨も遅れているのだと説く。ここでは終末とは「裁き」として捉えられていることに注目しよう。カナダのジャーナリスト，ナオミ・クラインがいいだした**ショック・ドクトリン**は，新自由主義的資本主義による終末論の「応用」ともいえるかもしれない。シカゴ学派（社会学のシカゴ学派とは別もの）経済学者のミルトン・フリードマンは，「危機においてこそ真の変革が可能」ととなえた。1970 年代以降，これにもとづいて，軍事政権による人権侵害や大災害，テロ事件などで人々がボーッとなっているあいだに，急激な市場原理主義改革をおしすすめるやり方が隠微におこなわれていった。震災後の日本は？

　あるいは，**恐慌待望論，統合失調症，世界没落体験**。そうしたものも，終末論とかかわっていないだろうか。▶**陰謀論，新自由主義，統合失調症**

ギュスターヴ・ドレ『リヴァイアサンによる破壊』1865

主権／権力

　主権とは，ほかのなにものからも干渉されずに，独立して政治上の決定をおこなうことができる権限。イタリア語の Sovranità やフランス語の souveraineté，英語の sovereignty は，もともとは「至高」の意をあらわす。絶対王制下のフランスで，王権がローマカトリックや封建領主から独立した最高権力であることをしめすためにいいはじめた。つまり，宗教権力から国家が自立する過程で登場した概念であるわけだ。

　一般に近代国家の三要素は，①領土，②国民，③主権とされるが，これに「④国民各層から徴募された兵士からなる常備軍」をくわえるべきではないだろうか。①〜③を物理的暴力によって守備し，かつ拡張するため，他国に軍事的脅威を与え，必要とあれば侵略行動をおこなう常備軍の存在なしに，国家はなりたたないからだ。つまり，主権とは軍事的なもの＝物理的暴力によっても裏づけられていることを忘れてはいけない。

　ところでこの主権，いったいだれの手ににぎられているのか。日本国憲法は，国民（内むき，実質上はその代表からなる議会）と国家（外むき）の両方が主権を有すると解釈できる。だが，いまの日本で議会なんてほぼ機能していないから，主権は国家（厳密には政府，さらにいえば内閣）にしかないのだろう。ドイツの政治学者カール・シュミットは，「例外状態において決定できる者が主権者である」と定義した。例外状態とは，緊急事態や非常事態にさいして法が無効化される状態をいう。シュミットは議会制民主主義を無責任な体制として忌み嫌い，「決められる政治」にしなきゃだめだと説いた。それでナチスに協力し，その「合法的な独裁」を理論的にささえた。

　それにしても，貧乏人はいつも非常事態，緊急事態じゃないか。つねに「決める」ことを強いられる。▶国家，戦争／軍事的なもの，腐敗，法

■アガンベン『ホモ・サケル』

新自由主義

1970 年代から本格化した資本主義のプロジェクト。カタカナで**ネオ
リベ, ネオリベラリズム**とも。それまでの修正資本主義＝福祉国家型の
体制を解除して市場経済を全面化させる政策。オーストリア学派のフ
リードリヒ・ハイエクやシカゴ学派のミルトン・フリードマンなどの経
済学者がアウトラインをえがいた。貿易自由化によって一国の経済を
多国籍企業の食いものにするとともに，国内的には民営化と規制緩和，
社会保障・福祉・医療・教育などへの公的支出削減を政策の柱に「小さ
な政府」をめざす。手前勝手な「自己責任」の哲学をふりまわし，教育
は自己投資，失業は能力不足のせいとほざく。**社会主義・共産主義への
激しい憎悪，ファシズムとの親和性**がみられる。

初の本格的実験は南米チリが舞台（1973 年）。アジェンデ人民連合政
権をつぶすため，アメリカは CIA を使うなどしてピノチェトにクーデ
タをおこさせ，軍事独裁政権を樹立させた。フリードマンを筆頭にシカ
ゴ・ボーイズとよばれる経済学者たちによるネオリベ改革案が断行さ
れた結果，銅などの天然資源は多国籍資本に強奪され，国民はながく貧
困にくるしむことになった。その後としては，イギリスのサッチャー政
権（79 年〜），アメリカのレーガン政権（80 年〜），日本の中曽根政権
（81 年〜）が有名。日本の場合は小泉政権（2001 年〜）でトドメをさ
された。

やがて，途上国にたいしては，国際通貨基金（IMF）と世界銀行が「構
造調整政策」の名のもとにむりやり「改革」をやらせる方式が定着。上
記の政策パッケージを融資の条件として，債務にあえぐ貧しい国にカ
ネを貸しつける。貿易自由化によって資本がどっと流入し，その国の富
は食いつくされる。結果，いっそう重債務国化し，国内は貧富の格差が
広がり，一国経済はメチャクチャになる。グローバリゼーションが喧伝
される裏には新自由主義があるのだ。

ただし，さすがにその国が平和で，経済もうまくいっているときには

なかなかうけいれられない。そこで，軍事独裁とか災害など，悲惨な事態が生じたときにえいやっとやってしまう。これが「**ショック・ドクトリン**」だ。2008 年のリーマンショックで一瞬，新自由主義に疑義が呈されたにもかかわらず，けっきょく復活したのにも，なにか「ショック」が関係していないか？

　新自由主義の世界観を検討すると，そこには歴史も時間の奥行きも空間の複数性もない。そのつどそのつど，のっぺりした空間で，目先だけの行動のみ正当化する考え方が中心にある。物事の錯綜したつながり，構造的な認識などいっさい無視，目の前にあるものだけが真実，ほかのことはみない，ダメなら入れ替えればいいというイージーな世界認識だ。たぶん新自由主義と歴史修正主義は，軌を一に登場してきたのだろう。▶グローバリゼーション

■ガルシア=マルケス『戒厳令下チリ潜入記』，ハーヴェイ『新自由主義』，クライン『ショック・ドクトリン』，白石・大野編『増補 ネオリベ現代生活批判序説』

サパティスタ民族解放軍（EZLN）の 1994 年の蜂起は，
反新自由主義闘争ののろしとなった（©VillaPhotography）

信仰／宗教

　ギリシャ語で「信」をあらわすピスティス（Πίστις）には，もともと忠義，忠実の意味があった。信仰は現在，なにか神様のようなものを主体的に選んでその人がそれを信じる行為，というように受けとられているが，それよりも絶対的にそれに義を尽くさねばならないある種の**服従性**をもとめる意味あいが根源にはある。おそらくセム系の神観念にはそういう激しさがあるだろう。

　神とはおよそタブー（禁忌）を要求する。たとえばユダヤ・キリスト教の神には，まず十戒というのがあるし，旧約聖書のレビ記など，ああしちゃいけないこうしちゃいけない，あれはダメこれはダメと，ことこまかに書いてある。宗教はそうしたタブーと密接にかかわる。タブーに触れるとケガれ，宗教共同体から制裁をうけたり，排除されたりすることになる。ケガレが感染するのも，宗教的心性に特徴的だ。人類学者メアリ・ダグラスは，タブーは規範からはずれたり，その社会で名づけえぬもの，周縁領域にあるものに発生しやすいとした。確固とした秩序のとどかない，そのあわいで生じるのだ。

　ピエール・ブルデュー（p.151）は，現代の神は「社会」だといった。社会は聖なるものであり，侵犯してはならない。その防衛のために幾多のしきたりが敷かれる，ということなのだろう。そしてそれは，その至上の聖なる「社会」につかえる「聖職者」たちと，聖職者にしたがう「信者」がいるということだ。いっけん信仰／宗教とはかかわりがないようにみえても，じつは絶対服従がしいられているものが，ほかにもあるかもしれない。そのまわりに「教団」的なものが形成されていないかどうか，がひとつの目印になるだろう。▶インセストタブー，人類学

人民

　「人民 (peuple) が欠けている」。フランスの哲学者ジル・ドゥルーズの言葉である。彼はさいごのテクスト「内在——ひとつの生……」(『ドゥルーズ・コレクション 1 哲学』宇野邦一監修, 河出書房新社, 2015 所収) で, 「野生で力能のあるなにか」の出現を語ろうとしていた。文明の体制がもとづく主体／客体という考え方は, 主人／奴隷の関係からくることに注意しよう。「なにか」は主体でも客体でもないし, 主人と奴隷の位階もしらない。だから文明の体制は「なにか」の「野生」の「力能」によってしりぞけられる。「なにか」とは, 欠けている「人民」にほかならない。

　じっさい, フランス革命以前,「市民」を代弁するヴォルテールにたいして, ルソーは「人民」の「野生」を語っていた。「市民」の実体は富裕な都市住民であり, 啓蒙された君主による漸次的な改革をめざす。他方, リンネの植物学にしたしんでいたルソーは, あらゆる草木が固有の名をもつことに気づく。「名もなき花」など存在しない。この自然と個体の回路のなかで「人民」の「力能」がたちあらわれ, ルソーの予感どおりに革命がおきる。

　だが, 実現されたのは「人間」の諸権利だった。それは「人間」の権利であって,「人民」の権利ではない。以後, **「人間」という抽象**のもとで「市民」による統治がおこなわれる。軍隊が整備され, 警察が発明される。フランス革命の前年に上演された『フィガロの結婚』が端的にしめすように, 蜂起した「人民」には男女が入り混じっていたことを想いおこそう。そうした「人民」から**女性**が差し引かれ,「男性」の「人間」や「市民」による文明の体制が打ち立てられる。したがって「人民」＝「なにか」をふたたびみいだすためには,「女性」が回復されなければならないだろう。「人民」を欠いた 19 世紀以後, 小説が「女性」を語りつづけたのも偶然ではない。そこには「人間」や「市民」のしるところではない, 文明の体制をくつがえす「人民」の「野生」と「力能」がやどっている。　▶革命, 家族, 文明

1789 年 10 月ヴェルサイユ行進の主役は女性。
国民議会に突撃，ムニエ議長に「パンよこせ！」とつめよる女たち
（アレクサンドル・ドゥベル画，1839 ごろ）

真理

　真理は隠されているものなのだろうか。隠されていると考えるから，必死になってそれを探索する。それは謎や秘密と同様のあつかいをうけているのかもしれない。真理にプライヴァシーはない。目を血走らせて探索し，ところかまわず掘りまくり，明るみに引きずりだされる。拉致してきては，密室に閉じこめ，台の上に置かれ，切り刻まれて解剖され，たたき，つぶし，ひしゃげさせる。熱をくわえ，燃やし，変形させ，水を浴びせ，冷やし，調べあげ，ことこまかくデータをとり，くりかえし実験され，整列させられる。いらなければいとも簡単に廃棄される。真理はあたかも拷問にかけられているかのごとくだ。

　とくに**科学的真理**といわれるものはそうだろう。自然を拷問にかけるのである。法則であるとか，合理性の根拠とは，自然にくわえられるこうした加虐性にあるのかもしれないと考えてみよう。

　その意味で，科学はかなりサディストである。そのままでそこにあるような，なにげない真理というあり方はないのだろうか。われわれと真理との関係のとりむすび方をあらためてみなおす必要があるのではないか。

電気技術の父ファラデー（1791-1867）の実験室。
（H・J・ムーア画，1850 ごろ）
「真理」は，こういう部屋の外にはいっさい存在しないのだろうか？

人類学

　民族学，民俗学などとならぶ社会学の近接領域。英語では anthropology，ちなみにドイツの哲学者カントの『人間学』の原題も Anthropologie。

　人類学自体は 19 世紀以降，帝国主義列強が植民地を拡大してゆくなか，学問として成立した経緯がある。つまり**植民地支配のために住民を把握しようとした**ところに，ひとつ起源があるといっていい。たとえば形質人類学は，先史時代の人類や現存人種を生物学的側面から探究し，人種間優劣をつける植民地主義のイデオロギー的尖兵ともなった。

　それに対し，文化人類学は人文社会系統であり，いわば文系。当初はやはり西洋中心主義（eurocentrism, ethnocentrism）に陥りがちで，未開社会や異文化に生きる人々の生活を西洋文明の目で解釈してきたきらいがある。のちにこうした姿勢に反省が加えられ，文明生活そのものを相対化し，その欠陥を逆照射するようになった。となると，こういえるかもしれない——初発ではたしかに帝国主義の嫡子だったが，成長するにつれ，だんだん親の身勝手を容赦なく突いてくる**鬼っ子**になった，と。あるいは西洋文明が自身から脱しようと，逃れもがくプロセスこそが文化人類学という営みだという解釈もアリだろう。

　多くの人類学者はフィールドに出てゆく。日常をともにし，その人たちの言語や習慣，生業，儀礼儀式などの生活文化を理解しようと努める。異文化との出会いや接触といった「外部」そのものも重要だが，それよりなにより，それまでの自分たちの常識と違うものを違ったように理解しようとするところに彼ら／彼女らの面目躍如がある。そのいっぽう，アームチェア・アンソロポロジスト（安楽椅子の人類学者）という用語もあって，これはフィールドにでて調査しない人類学者をバカにする悪口だった。最近はあまり耳にしなくなったが，まあ，いたずらにフィールドにでればいいってものでもない。あの『金枝篇』の著者 J・G・フレイザーが典型だ。

M・モースから C・レヴィ＝ストロース，B・マリノフスキー，C・ギアツ，M・ミード，V・ターナー，E・プリチャード，M・グリオール，P・クラストルといった人類学なじみの名から，現代では J・C・スコット，B・ラトゥール，T・インゴルド，M・タウシグ，D・グレーバーなどの登場で新たなうねりが感じられる。われわれが生きるこの「社会」を人類学者の視線をもって眺める——それはつねに**この「社会」から脱出する用意**をしておくことなのかもしれない。

　ついでに民俗学（folklore）についても補足。大きくいって歴史学が文書資料から，つまり文字記録をもとに過去を記述するなら，民俗学は口承など文字によらないものを収集し考察の対象とする。日本でいえば，柳田國男，折口信夫，南方熊楠などがその代表格。▶**インセストタブー，贈与，肉，マルセル・モース**

■タウシグ『模倣と他者性』，インゴルド『ラインズ　線の文化史』，ラトゥール『地球に降り立つ』

【左】20 世紀アメリカを代表する文化人類学者 M・ミード（1901-78）。南太平洋や東南アジアの伝統社会における「性」への態度を精査した研究は，1960 年代「性の革命」に影響を与えた

【右】『負債論』『ブルシット・ジョブ』『民主主義の非西洋起源について』などで人類学の新地平をきりひらいたアナキスト人類学者 D・グレーバー（写真左）。2007 年ニューヨークのメーデーにて，世界産業労働組合（IWW）の T シャツを着用。2020 年，惜しまれつつ早世（©Thomas Altfather Good）

ストライキ／サボタージュ

　ストライキとは労働を停止すること。労働者が労働の供給をおこなわないこと。これによって経営者にじぶんたちの主張をのませる。労働組合がやるばあいもあるし、組合がなくてやるばあいもある。労働者がストをすると、経営者はストを無効にするために、参加者を個別に甘言（ストから抜ければ待遇をよくしてやる、など）で誘ったり、ヤクザをけしかけたりする。ストを無視して働くことをスト破りといい、周囲にそれをそそのかす者をスキャブという。ストする側は、そういう抜け駆けをさせないように、ピケを張って人が出入りできないようにしてストを守る。

　一企業の枠をこえ、産業全体にわたるとか、地域的・全国的に拡大させたストがゼネラルストライキ、すなわちゼネスト。ひとつの企業の労働者がストをはじめると、他の企業の労働者がストをもって応える同情スト、連帯ストなどという泣けるものもある。日本ではストがほぼ壊滅状態にあり、外国でストに遭遇すると迷惑だなんだのという者が多い。スト破り根性が染みついてしまっている。いつからなのか、そしてなぜだろう？

　サボタージュは、もともとは破壊活動。労働を拒否するため、機械に木靴（サボ）を投げこんで使えなくしたことに由来するとの説も。「サボる」はここからきている。自分たちを苦しめる機械をぶち壊すラッダイト運動は公然たる大規模サボタージュだったし、労働者がポケットに砂を一握りいれて機械にそっと撒く非公然のサボタージュもある。日雇い労働者の街・大阪の釜ヶ崎で闘っていた船本州治の書いた本『黙って野垂れ死ぬな』には、会社のトイレをこっそり何度もつまらせて損害を与えようとするサボタージュの形式がでてくる。

　いたるところでストライキ、いたるところでサボタージュ。いつでもどこでもスト・サボがある世の中。迷惑が迷惑でなくなる瞬間というものがあるはずだ。こういう世の中のほうが自由といえないだろうか。

▶2.1 スト，ラッダイト，ローザ・ルクセンブルク

スポーツ

　球遊びをしたり，飛び跳ねたり，重いものをもちあげたり，小突いたり，すもうをとったりする。集団でやったり，個人でやったりして，点を競ったりもする。もともとは神事だったものもあるし，命がけだったりもした。いまは体をうごかして気晴らしをしたり，みんなでそれをみて楽しむことになっている。だが，ただそれだけのことなのに，めちゃくちゃ金がかかるようになった。そればかりやっている人間もいる。大規模施設をつくったり，放映権を売りものにして，大企業やメディアや広告屋が群がる。棒で球を打つだけで，年棒何十億円もらえるだの，異常なことになっている。「成功」や「能力主義」の最たるもの，というより，そういう価値観をすりこむためにスポーツが利用されている。国威発揚につかわれることもままある。**オリンピック**などはもうやめたほうがいい。巨額なカネがつぎこまれたあげく，おわってみればより貧しくなるだけ。そんなことより，休みがもっとたくさんとれるようにしたり，だれでもつかえる広場や球戯場をあちこちにつくったり，どこでも遊べる場所にすることのほうがたいせつじゃないか。そう，スポーツともっとも縁がふかいのは，国家ではなく福祉なのだ。▶競争，能力

17世紀イングランド，街路でサッカー（の原型）をたのしむ人々

生産／再生産

　人間活動はとりあえず二種類にわけられる。生産活動と再生産活動。生産というのはモノやサービスをつくりだすこと。つまり，現在では，労働に従事することでもある。人間だれしも1日は24時間である。あたりまえだが，ひとは24時間ずっと働きつづけることはできない。そんなことをすれば死んでしまう。あすも仕事をするためには休息をとり，眠り，料理を食べ，排泄し，遊び，子どもをつくり育て，友だちと語りあったり，本を読んだりしなければならない。これらが再生産活動である。要は生活と呼ばれているものの総体，生産を支えるため，生命活動をあすへとつなげていくような活動である。抽象的な言い方をすると，労働力再生産の維持・培養。

　個別の資本にとっては，再生産費用ができるかぎり低く，せいぜいそれを可能にするていどに低く抑えられていることが望ましいだろう。それが賃金の抑制につながるし，かつかつの暮らしなら労働者がよけいなこと（スト，サボその他）を考えないからだ。再生産のないところ，生産もないのだから，再生産費用を潤沢に支払ってしかるべきなのに，徹底的にケチるのである。

　生産／再生産の考え方からすれば，子どもを産んで育てることは，次世代の労働力を増やすことを意味する。ということは，再生産領域において人口が決定するのであって，人口が増えれば，供給過剰となり，賃金が安くなる。これまた資本の思惑どおり。

　われわれは「**再生産とはなにか**」ということを，もっとつきつめて考える必要がある。ウェーバーは近代における生産点と消費点の分離ということをいった。これを応用して，フォーディズムのもとでは生産と消費＝再生産がみごとに分離したというふうにもいえる。そこでは，生産で使用する能力と再生産で使用する能力はちがうものだった。それがポストフォーディズムの時代になると，どうなるか。再生産で使用する能力を，生産でも使用させられるのである。▶フォーディズム／ポストフォーディズム

政治

　アリストテレスはビオス／ゾーエー，すなわち，よく生きること／ただ生きること，という対立軸をもちいて「政治」を定義する。つまりポリス（「市民」を成員とするギリシャの都市国家）にあって，人間である以上，よく生きようとすること，つまり政治をしなければ，それはたんなる動物だというわけだ。カール・シュミットは友／敵を区別し決定することが政治の本質だといった。ジャック・ランシエール (p.156) は，政治とは間違い——計算外のものが計算のうちにはいってくること——からはじまるといった。

　政治とはかようにさまざまな定義がありうる。しかし政治というのははっきりいって**面倒くさい**。じぶんを大きくみせたり，じぶんの意見に同調させるよう努力してみたり，いったん勢力を構築すればそれを拡大しようとしなければならなかったり，あちらから政治をけしかけてくる人間に対し，妥協，駆け引きなど，こすいことをいろいろやらねばならない。ある政治的目的の達成のためには，じぶんが感じているわだかまりやいらだちを忘れなければならない。語源（police, porite）からして，政治とは本来的に抑圧的なものであり，それをいかに野蛮化・情動化していくかが重要。▶ビオス／ゾーエー

■ランシエール『不和あるいは了解なき了解』★p.224, アガンベン『ホモ・サケル』

精神分析

　無意識というものを分析の対象にすえる。無意識の発見。20世紀初頭にフロイトが創始した。そのご，さまざまな領域に多大な影響を与え，いまでも与えつづけており，そして議論となりつづけている。

　無意識を認めるというのは，心のなかに，じぶんでは意識していない，どうしようもない部分が存在していることを認めることだ。だって無意識がなければ，じぶんではどうしようもない神経や精神の障害などありえようもないではないか。それに人間は夢だってみる。行動科学などが精神分析を敵視するが，否定してもしようがない。

　フロイトは精神分析をヒステリーの研究から発展させた。過去，幼少時にうけた性的なトラウマ（外傷）からヒステリーが発症するという。すべてセクシャルなことから説明しようとしたので，品行方正だとじぶんでは信じている当時の人から，非道徳的だとか，卑猥だとか，嘘だとかものすごい反発をうけた。「おまえもスケベで変態だ」といわれた気がしたのだろう。しかも，だれもがお母さん／お父さんをファックしたいと思ってる，なんていうものだからみな激怒した。いわゆる**エディプス・コンプレックス**というやつだ。

　フロイトはひとの心のなかが，超自我（super ego）／自我（ego）／エス（Es）という三つの領域に分かれているとした。フロイトが活躍した19世紀末から20世紀初頭の西欧にあって，家父長的家族によって育てられる子どもが，もともとそなわっている〈快をもとめる力〉をどのようにたわめて，どんな「心」をつくりあげるかが焦点。**エス**はこんこんとそこから欲求が立ちのぼってくる領域。**自我**はエスからの欲求を緩衝し，そこでブロックする役割。**超自我**は神様的なもの，あるいは「父」で，その役割は端的に禁止である。道徳や良心みたいなものだろうか。しじゅう「○○してはいけません！」「それはゆるされない！」と命じてくる。エスからわきでる欲求を全面化させてしまったら，「正常な」市民社会での生活がおくれなくなるから，自我と超自我の二重チェッ

クで心を安全なものにし，抑圧するのである。

　さてこの精神分析，かなりいろんなことを説明できる気がするのだが，20世紀もなかばをすぎると評判がわるくなってくる。とくに，なんでもかでも「幼少期のトラウマ」「エディプス・コンプレックス」でかたづけるところ。そういうとらえかたって，文明とか資本主義と関係があるんじゃないの？——これが，有名なドゥルーズ＝ガタリ『アンチ・オイディプス』のいいたいこと。

■フロイト『精神分析入門』，ドゥルーズ＝ガタリ『アンチ・オイディプス』

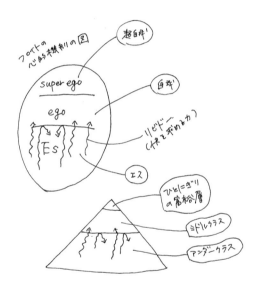

戦争／軍事的なもの

　戦争を思考することは，世界について思考することを必然的にともなう。世界のどこかでいつも戦闘や紛争がおこなわれているし，戦争や軍事はわれわれの周囲にさまざまに浸透しており，われわれの生活からして無縁でも無関係でもない。スマホやPCのゲームでは銃を撃ちまくり，敵の城を攻め滅ぼしたりしている。食品用のラップフィルムは，もとは弾丸が錆びないようつつむために開発されたものだ。インターネットも，敵に攻撃されたさいに指令中枢を分散させるための軍事技術だった。こうした軍事の民生品転用などいくらでもあるし，その逆もしかり。近所に基地があるひとなら，防災訓練は自治体と自衛隊が共同でやるとか，歩いていたら自衛隊に勧誘された，などという経験があるかもしれない。

　クラウゼヴィッツは戦争を，「政治とは別な手段をもっておこなう政治の継続」と定義した（『戦争論』）。フーコーはこれをひっくり返し，「政治とは，戦争とは別な手段をもっておこなう戦争の継続」だといった。これは主権国家が成立して以降の近代の「政治」のあり方について述べたもの。近代国家はまず国民に「平和」を保障しなければならなかった。すなわち近代の政治とは，まずなによりも**社会防衛**だった。ようは，対外勢力の侵略干渉から「国民」をまもること，そのためには周囲を圧倒する軍事力が必要とされた。

　戦争に兵器はつきものだ。核兵器はもとより，無人攻撃機やロボット兵器，生物・化学兵器など新手の兵器も登場している。物理的破壊のみならず，精神的な破壊，神経戦など無形の戦闘もある。軍事的なものはあからさまに，そして知らない間にも，われわれの生に侵入しいつのまにか増殖している。▶**主権／権力，政治**

■フーコー『社会は防衛しなければならない』

臓器移植／脳死

　臓器移植は美談として語られることが多いが，そのまえに立ち止まって考えてみる必要がある。世界的にみれば，第三世界では富裕層向けに臓器が売買されるケースがあとをたたない。そこには生命の価値の圧倒的非対称が存在しているのだ。また，臓器移植を原理的に考えれば，そこにはまだまだ解決されない問題が横たわる。しかし，現在の医療・製薬産業はそれをビジネスチャンスと捉えて儲けの種にしたがっている。その構図は資源を第三世界から暴力的に収奪する構造そのままである。

　第一に，上記のように貧困による機会不平等の問題がある。手術にも術後のケアにも大金を要するから，富裕層しか享受できない。第二に，医学的にも目途がついてない問題がある。たとえば術後は免疫抑制剤を投与しつづけなければならない，ドナーとレシピエントのあいだの適合性などなど，技術的に未解決の問題が多々ある。第三に，どうしても**生命の価値**が比較されてしまう。つまり，ドナー＜レシピエントととなり，ドナーの「死を待ち望む」構造が必然的に存在してしまう。

　脳死を臓器移植と直結させてしまうことも問題だろう。両者は本来関係ないはず。だが，現在，それは一連のシークエンスとして把握される。脳死の定義自体が困難だが，最近では，脳死を人の死としなくとも移植可能という論議まで登場している。

贈与

　交換のまえ，あるいは底にある行為。相手に見返りをもとめず，贈り，与えること。**経済**というのはこの贈与のごく一部，それもひどく狭小化したものにすぎない。

　贈与は相手に影響を与えること。マナ＝力を分かつことであり，また相手を圧倒することであったりもする。貨幣はこの贈与という行為の影響をコントロールするためにうみだされたとも考えられる。それは現在でもわれわれの使う言葉のなかに残存しているだろう。相手から贈与の一撃をうけたならば，祓う＝払う＝支払うという行為でそれを除去するのだ。

　そうであるにせよ，このように機能的・危機管理的に贈与を考えてしまうことこそが資本主義に毒されたものの見方かもしれない，ということも一方で考えておくべきだ。惜しみなく贈与しつづけることの広がりと深さを追求する必要がまだまだあるのである。▶**インセストタブー，貨幣，人類学，マルセル・モース**

■モース『贈与論』★p.223，モース／ユベール『供犠』★p.223

クララム族の長チェツェモカが 1859 年にアメリカで催した
贈与の祭り（ポトラッチ）の様子

疎外

　じぶんがこうありたいと望む状態や本来の状態からはじきだされた
り，疎遠にされてしまっている状態。英語では alienation，ドイツ語では
Verfremdung。外国人化されている，というような意味になる。そのまま
うけとればエイリアン化だ。ある集団からエイリアンとしてあつかわ
れる。よそよそしかったり，あからさまに嫌悪されたり，暴力的に排除
されたりすることもありうる。

　労働における疎外とは，生産の現場に機械が導入され，機械に従属
し，機械のように働くようになり，非人間的になっていくことをさす。
生産において**コミュニケーション**が全面化した現代のポストフォーデ
ィズムにおいては，コミュニケーションそのものが人を疎外すること
になる。疎外とは，みずからがある集団にたいして違和感をいだき，そ
れを表明する契機となる概念であり，現代ではことさら重要だ。非人間
的なシステムに完全にとりこまれる現状を肯定するのではなく，エイ
リアン化する契機をもつことこそが必要なのだ。▶**フォーディズム／ポス
トフォーディズム，コミュニケーション**

アンリ・ルソー『フットボールをする人々』（1908）。
ものすごいエイリアン感が充溢している

第三世界

　第三世界は拡散し，流動している。たとえば移民，難民の群れ。第一世界のさなかにそれは出現している。移動しつづける人々の流れを第四世界といっていいのかもしれない。

　冷戦下，第一世界とは西側先進国，第二世界とは旧共産圏をさした。第三世界はそれに属さない国や地域，つまりアジア，アフリカ，ラテンアメリカの国々だ。戦後，そのおおくが帝国主義支配から独立をはたしたが，旧宗主国の資本に支配された独裁傀儡政権が濫立する状態がつづき，民衆はながく苦しんだ。こうした状況は民族運動をうみ，各国のそれが結束するうごきもみせることとなる。1955 年には，インドネシアのバンドンでこれらアジア・アフリカ諸国による会議が開催され，西にも東にもぞくさないという非同盟主義の立場もきわだった。

　イマニュエル・ウォーラーステインは，世界が中核・半周縁・周縁からなり，周縁・半周縁でつくられた富が中核にあつめられるという国際分業体制ができていると指摘した。この体制をとらえずに，「中核地域＝先進工業国の労働者」といった概念に固執しているだけでは，世界資本主義は把握できないという。中核地域の工場労働者は賃金労働者だが，第三世界のような周縁地域にはぶあついインフォーマルセクターが存在している。そこではとくに女性をはじめとして，賃金ゼロもしくは超低賃金，あるいは半分は現物支給とかで雑業に従事するおおぜいの人たちがいる。ウォーラーステインは，こうしたぶあついインフォーマルセクターの背後に，さらに「世帯」によるサブシステンス（人間生活の自立と自存）の維持があるとも指摘した。世帯でたすけあって暮らすいとなみは，統計にでてこないものだ。

　かつての第三世界のインフォーマル経済は，いまでは第一世界にも浸透している。広範な雇用の非正規化（＝インフォーマル化）がそれだろう。　▶移民／難民，インフォーマルセクター，冷戦

怠惰

　怠惰は現在，悪徳としてたたかれる対象だ。とくに現代日本ではそれがなはだしい。怠けること，はたらかないこと，ぐうたらしていることなど，つまるところ，もうけ，生産性，効率につながらない無為の者，怠惰な者は社会の敵なのだ。これは近代にいたって，勤勉倫理（industry）が浸透したことが原因。われわれの生は有為でなければならず，無為であってはいけないのである。

　でも，もとをたどると，中世においてはそもそも怠惰とは美徳ですらあった。ギリシャ語のアケディア（ἀκηδία）は，空想に耽ったり，夢みたり，眠ったり，ぼんやりしたりする時間をさし，とても大事なこととされていた。そして，それは**メランコリー**（憂鬱）ととても密接な関係をもっていた。メランコリーもまたこの現代では労働と職場に関連づけられ，働かなくなる／働けなくなる要因，忌避すべきものとされている。しかし怠惰とおなじように，中世においては，じつに人間の生に不可欠の，無為でありながら，逆説的に創造的な状態ですらあったのだ。

　アメリカ建国の父ベンジャミン・フランクリンは，「時は金なり」といった。マックス・ウェーバー（p.132）は『プロテスタンティズムの倫理と資本主義の精神』で，この人物を資本主義精神の体現者とみなした。多忙（business）であればあるほどひとは下品になる。はたしてウェーバーの言葉どおり，プロテスタント的禁欲と資本主義をつきつめたアメリカに，いまやとてつもなく下品なビジネスマインドが蔓延している。

　われわれは怠惰であること，怠惰であることが可能であるような時間をとりもどさないといけない。だれの，なんのためでもなく，自由な想像力をやしない，空想し夢想する時間。さあ，怠けよう。　▶疲労

■アガンベン『スタンツェ』，ラッセル『怠惰への讃歌』，ラファルグ『怠ける権利』，ブラック『労働廃絶論』

代理出産／卵子提供

　代理出産（代理母出産とも）は，子どもがほしいのにできない夫婦な
どが，第三者の女性の子宮をかりてかわりに出産してもらうこと。代理
母には懐胎，出産にかかわる甚大なリスクがあるにもかかわらず，ビッ
グビジネスとしてすでに巨大な市場が成立しつつある。

　卵子提供は，女性が高齢で卵子老化のため妊娠できないなどのばあ
い，第三者の若年女性に卵子を提供してもらうこと。これも巨大市場が
成立している。卵子を提供するだけだからリスクは少ないと思われる
かもしれないが，過剰な排卵をうながすべく多量のホルモン剤投与が
おこなわれ，また卵管などへの外科的侵襲をともなうため，重篤な健康
被害も生じている。卵子はまた生殖補助医療だけではなく，胚性幹細胞
をつくるのにももちいられ，その需要も増えている。

　どちらも若い女性がターゲットとして狙われ，出産機械，人体資源と
して重宝される。代理出産にせよ，卵子提供にせよ，代理母やドナーの
事後の調査がなされておらず，リスクすら特定できていない現状があ
る。ドナーとレシピエントという二者関係だけで語りがちだが，そのあ
いだに，ブローカー，医療・製薬産業関係者，ひいては大学や研究機関
などが介在し，巨大ビジネスとして増殖しつつあることを，**資本の問題**
として認識しておくべきである。

低強度紛争／軍事革命

　低強度紛争（LIC：Low Intensive Conflict）／軍事革命（RMA：Revolutionary Military Affairs）とは，ともにアメリカ軍が 1980 年代から 90 年代にかけてすすめた軍事的なものの刷新。

　LIC は，アメリカ軍がベトナム戦争の敗北の経験をふまえ，これからの戦争は高強度の戦争＝核戦争ではなく，戦争ともいえない局地的な紛争状態が主流になり，アメリカ軍は今後そういう戦争を戦っていかなければならない，ということで研究を開始。紛争のにない手として想定されているのは，特殊部隊でもパラミリタリー（準軍事組織）でもなく，宗教勢力，マフィア，麻薬組織，そして最終的には**住民**である。軍隊ならざる軍隊，非正規のミリシア（民兵組織）だ。だが，はたしてそこにいるのは全員ミリシアか？　米軍がいくら非難されても空爆をやめないのは，LIC の時代には無辜の民など存在せず，**だれもが兵士だ**とすりこまれているからだ。

　RMA は，端的にいえば，現場で自律的に判断して戦闘をおこなえるよう兵士を訓練することである。テクノロジーを駆使し，端末たる兵士に接続する。ポストフォーディズムの軍隊版といっていいかもしれない。あとは「目的」——指揮・命令ではなく——さえ与えておけばいい。たとえば「人道支援」，あるいは「正義」，もしくは「民主主義」。イスラエル軍は RMA の立案にあたり，ドゥルーズ＝ガタリの『千のプラトー』を参考にしているという。ふたりが国家の形成＝中心化にあらがうたたかいのありようとしてしめした「戦争機械」の概念を，軍事目的に転用している。　▶**戦争／軍事的なもの，テロ**

テロ

　テロとの戦い──「対テロ」とは, **人口を管理する**ひとつの手法, モード。テロリストがいて, その攻撃から無辜のひとびとを守るというような話ではない。みなすべて, あなたも私も, ひとしなみだれもが「潜在的テロリスト」だ。ひとたびそれを受けいれれば, ひとは際限なくみずからを要塞化する。不信が蔓延し, たがいがたがいにとってテロリストとなる。隣のあいつはテロリストだ。さあ, 対テロのたたかいをはじめなければ。

　このモードになればしめたもの。ひとはふるまい方を自発的にそのモードにあわせてしまうようになる。警察の権限を大きくし, 人権を制限することで根絶しようとする。だがそれは原理的には不可能だ。そのことは「ローンウルフ」たちの「実績」が如実にしめしている。

　セキュリティの強化によってだれが得するのかをよく考えてみる必要がある。テロだといえば, だれもが思考停止してしまう。そして対テロの名目で強大な権限を与えられるのはだれか。人権やプライヴァシーや思想がジャマだと思っている人間はだれか。「テロ対策」でしこたまもうけるのはだれか。その状態を継続することで, コストを浮かせられるのはだれか, などなど。

　これはじっさいにみた話。人里はなれた奥深い山中, 車もほとんど走っていない。土砂崩れがおきたらしき現場にでた。なにか工事をしていたところへ崩れおちてきたようだ。車両止めに「テロ警戒中」の札がかけられていた。笑うしかない。▶警察, 戦争／軍事的なもの, 低強度紛争／軍事革命

統合失調症

　古くは「精神分裂病」とよばれ，躁鬱病（いまの用語では双極性障害），てんかん（いまは精神障害に分類されない）とともに三大精神病とされた。また，ドイツの精神科医エルンスト・クレッチマーは，体型と気質にかかわりがあると考え，やせ型 - 分裂気質／肥満型 - 躁鬱気質／筋骨隆々型 - 粘着気質，などとした。

　現象学的精神病理学者の木村敏は，これら病の時間意識の有り様によって，統合失調症 - アンテ・フェストゥム（祭の前）／てんかん - イントラ・フェストゥム（祭の最中）／躁鬱病 - ポスト・フェストゥム（祭のあと）と分類した。木村にしたがえば，統合失調症というのは，祭をひかえて「もうすぐ祭がはじまる」，「なにかがくるぞ，くる，くる」という意識に占領された状態である。未来先取り的で，前へ前へとすすんでいこうとする。かすかな兆しを，物事の徴候を，予感として鋭く感知する。統合失調症の治療研究を専門とする中井久夫はこれを微分回路的と表現し，狩猟採集民の特徴になぞらえた。

　これにたいし，躁鬱病の鬱状態は「あとのまつり」であり，完了の事態における「やってしまった」感の横溢だ。これを木村は haben 的事態，つまり「持ってしまった」ものをもてあます状態ととらえた。躁鬱病は所有や貯蔵，蓄積と切り離せないのだ。中井はこれを農耕民の心性として語った。「やってしまった」「とりかえしがつかない」過去にとらわれた「罪責」意識はここからやってくる。罪責の観念は躁鬱病ないし抑鬱状態に本源的にみられる意識の有り様。「祭」にたとえば「革命」を当てはめるなどしてみると，いろいろ了解できそうだ。ちなみに木村は，ブルジョアの意識はポスト・フェストゥム的で，プロレタリアのそれはアンテ・フェストゥム的だとしている。現代日本の病である鬱の蔓延の考察もここからしてみると興味深いかもしれない。この社会は過去にとらわれ，終わって「しまった」意識を引きずりつづけるブルジョア的，小ブルジョア的な社会なのだ。

道具／技術

アリストテレスは質量因・形相因・目的因のほかに道具因という因果を考えた。道具はこの世界のなかで物事の因果において重要なアクターになっているということ。ハイデガーはそれを発展させ，道具を zu-handen-sein だとか Vorhanndenhait，つまり「手元にあること」，「手元存在」とした。使いやすく，使い慣れた，親密なもの，というようにその存在性格を位置づけた。われわれはこうした道具のネットワーク（＝生活世界 Lebenswelt）という棲み処に安んじて棲まわっているというわけだ。そこはセキュリティばっちり，故郷のような（heimlich）場所だ。道具は身体の延長であり，制御可能性の裡にある。それらにかこまれた空間は，意味の安定した生活世界，ないしは目的 - 手段が一義的に決まる使用価値の世界だといっていいかもしれない。ということは，この意味の安定的した世界は，道具の自明性が崩れることで変わってしまうともいえる。

「手ごろさ」から「手に負えなさ」へ。道具をそのまま投擲する。ようするに道具の身体からの疎隔，遠隔をはかる。制御不能を可能にする。投げ放つ。こうして道具は**武器**となることだろう。ラッダイトはここから始まる。四六時中業務連絡してくるスマホを上司に投げつける。通勤するための自動車をことごとくひっくり返すなどなど。道具から使用価値を剥奪し，生活世界の自明性を破壊する。環境やインフラは道具・技術のネットワークとしてわれわれに働きかけてくる。われわれを居心地のいい，安心な「本来性」の世界に棲まわせようとする。そのたくらみを阻止するにはなにが必要か。

古代ギリシャでは，奴隷制が存在したから技術的発展が停滞した。そう考えれば，**技術**と奴隷制は代替可能なものだったのだ。人を労働から解放するはずの技術・道具は，近代にいたって人に結合され，人を奴隷か道具に近いものにしてしまった。ほんとうに技術は人間を解放するものなのか。これは工場などで機械や道具を相手にしている労働者を

みればわかろうというもの。原発をみればわかろうというもの。モノを
モノの世界へ返す，人とモノとの関係を遊びの関係にもどすことは可
能だろうか。▶ラッダイト，インフラ，原子力

■ハイデガー『存在と時間』，ラトゥール『虚構の「近代」』，アガンベン『身体の使用』

織機を破壊するイングランドの労働者たち（1812）

統計

　はじめは人口を確定するために着手された。頭数をかぞえ，税を徴収し，国勢を把握する。そこから発展し，現在は統計学としてより高度になっている。高度な数学的操作もくわえられる。不確定性を確定性へと閉じこめ，ミクロなものの集まりを，マクロに，大数的に転換する操作であり，差異よりは同一性に基礎をおいて物事の状態を把握する。

　日本では国勢調査は1920年に始められた。これには軍部の要請もあった。総力戦を視野に入れて始められたわけだ。かくのごとく，統計は国家と深くかかわっている。というよりも国家の基礎づけに根拠をおいている。統計とは統治上の目的から必要とされるものなのだ。それゆえ国家（state）の学問（statistics）となる。集まったデータを集計，処理し，目的に見あった効果をえるべく加工される。統計にさまざまに手を加えることで，事実にバイアスをかけることもできる。こうして統治から蓋然性を排除していくのでる。

　そう簡単に数えさせないこと，騙されないこと，煙に巻かれないことも必要だろう。▶国家，統治

『21世紀の資本』で一躍有名になったフランスの経済学者
トマ・ピケティが提示する「統計」のひとつ。
フランスにおける所得上位10%の所得が国民総所得に占める比率（1919-2005）

統治

　支配者が民衆を支配するときに，げんにあるものをそのまま，そのとおりに存続させようとしてさまざまに手をくわえること。支配者がじぶんが望ましい方向へもっていこうとあれこれすることもふくむ。

　古くはマキアヴェリの『君主論』が，統治術を述べたものとして有名だ。たとえばマキアヴェリは，君主は愛される必要はなく，それよりも侮られてはならず，恐怖で支配したほうがよいなどといった。

　統治するためには制御可能であることが重要。制御可能にするために制御するといってもいいだろう。支配者が永遠にその地位にありつづけるためにそういうことをするわけだが，そのうち統治することそのものが自己目的化することもままありうる。**なにも変えないために**あらゆることがおこなわれる。統治が徹底すると，支配される側もその維持に知らぬまにくみすることがしばしばある。サイバネティクスが充満した工学的社会とはそういうものだろう。こまかくこまかく制御される。儀式（ritual）がつねにとどこおりなくおこなわれる，すべてが儀式化した社会だといってもいい。日本では「民主主義」と訳されるdemocracy も，「-cracy」（統治を意味する接尾辞）を含んでいることから，「なにも変えないため」の装置かもしれない，とうたがってみてもいい。▶国家，主権／権力，人民，文明，暴力

■マキアヴェリ『君主論』，不可視委員会『来たるべき蜂起』『われわれの友へ』★p.220

都市／農村

　シカゴ学派の社会学者 L・ワースによれば, 都市は人口の大量性, 人口の密集性, 人口の異質性という特徴をもつ。人種, 民族, 階級, 文化等のことなるいろんなひとがおおぜい, せまいところにかたまって暮らしている, それが都市。あるいは鈴木栄太郎の「社会的交通の結節の集積点」という定義。役所, 道路や本社ビル, 駅などの集まっているところ, つまりさまざまなネットワークの結び目が都市。

　社会学では, 長らくこんな定義が使用されてきた。いずれも, なんだかみたまんまという感じだ。現象面しかいいえておらず, 都市というものの本質に到達していない。

　ぎゃくに上記の定義をもとに,「都市的でないもの」を考えてみよう。人口が少なく, まばらで, おなじような人しかいない場所。さて, それはどこだろうか。農村である。すなわち, 都市とは第一に, 都市的でない場所＝農村との関係においてとらえると, その本質が明瞭にみえてくる。

　あたりまえの話だが, 都市と農村は相互に関係しあっている。では, この関係を媒介するいちばん太い線はなんだろう。そう, **食糧**だ。農村とは食糧の生産地であり, そして都市とはその消費地である。

　ところで, 世界にはまだまだ飢餓が存在する。しかし飢餓が存在する国や地域ほど農業に従事する人口が多い。このことはなにを意味するだろう。都市化している国や地域ほど, 食糧事情がいいということだ。ここに都市の本質が存在する。つまり都市は**農村の飢餓**を前提にしてでも**存在させられる**なにかなのだ。

　ここに, ウェーバーの権力の定義——ある社会関係の内部で抵抗を排してでも貫徹されるあらゆる可能性（チャンス）——を注入してみる。とうぜん飢餓の地域にある農民は抵抗する。都市に食糧を奪われているからだ, だが, その葛藤はわれわれの目にはとどかない。農民の抵抗を排してまでもつらぬき通される, 食糧を調達する力を, 都市はもっ

ている。都市は農村から食糧を奪う権力をもつ，そういう場所である。
逆にいえば，その権力を喪失したとき，都市ははじめて飢えるのだ。▶

インフラ，農業

■藤田弘夫『都市の論理』，きだみのる『気違い部落周遊紀行』

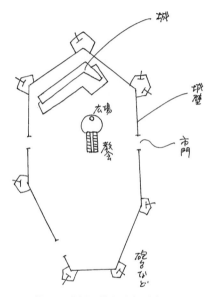

「都市」の基本的な構造は有史以来変わらない

87

奴隷

　ひとが財産のひとつになってしまうこと。主人によって処分可能。所有物である奴隷がモノを所有することはあるのだろうか？　その所有物はやはり奴隷本人ではなく，主人のものであるのだろうか？　主人は財産をふやすため，奴隷に衣食住を提供し，子どもをうませたり，家族を形成させたりする。財産だから大事にあつかったりするし，そのぎゃくに粗末にあつかったりする。奴隷がじぶんの身体を傷つけることは，あるじの財産を毀損・破壊することと同義だ。ヘーゲルの「主」と「奴」の弁証法は，18世紀末におきたハイチ革命における，植民地農園主と黒人奴隷のたたかいが背景にある。

　グレーバー『負債論』によれば，人間をモノあつかいすることで奴隷制が生じたのではない。史実はぎゃくで，奴隷制が先にあって，モノを奴隷のごとくみなすことで「所有」という概念ができたのだという。ならば，私有財産なんてものも，自明のことではなくなる。

　日本には奴隷はいない／いなかったことになっているが，はたしてそうだろうか。歴史的にずっとそうだったのか。たとえば講座派(p.163)歴史学なんかはこのへんをもっと深めるべき。

　奴隷という視点から歴史や社会をみると，まったくちがった世界の見え方がでてくるだろう。戦争にまけて捕虜になった者や，征服された地の民が「奴隷」にされる。つまり奴隷という存在の背後には，闘争があるといえる。▶財（産），負債

■グレーバー『負債論』

肉

　ユダヤ教，イスラム教には肉についての禁忌がある。いずれも豚肉を食さない。しかしキリスト教圏ではことのほか豚肉をよく食べる。同一の起源をもつ宗教なのに，これはどういうことなのか。ある文化人類学者の説によれば，イエスをおとしいれ，殺したのがパリサイ人とユダだから，キリスト教徒はそれらユダヤ人たちが忌み嫌う豚を――ユダヤ人とは徹底した差別化をはかるために――好んで食べるようになったのだという。ヨーロッパでは四旬節まえの謝肉祭で，首を吊ったユダの像をテーブルに置き，豚の丸焼きを食べる習慣がある。ベジタリアンやビーガンは，肉につよい拒否反応をしめす。健康上の動機や倫理観からという人もいるが，なかには戦争や近親者の死などではげしい心的ショックをうけて，肉食を拒絶するようになった人もいる。そのさい，疑似宗教体験を通過するケースがある。非日常（ハレ）の経験が一種の通過儀礼として機能し，意識／身体もろとも変性してしまうのかもしれない。食べ物の好き嫌いも，そうした非日常体験に根ざしているということがあるだろう。つまり，好き→非日常体験→嫌い，あるいはぎゃくに嫌い→非日常体験→好き，というようなプロセスが生じうるということだ。「肉食」や「菜食主義」とはいったいどういうことか，もっと考えてみる必要がありそうだ。

　人類学者 M・サーリンズは，狩猟採集民は 1 日 4.5 時間の労働で必要なカロリーを調達したと報告している。「まったくよく休む。たくさん取れたら次の日は休む。採取に含まれる労力に対し，たくさん手に入れば得したとすぐ休む」（『石器時代の経済学』）。現在では，われわれが肉を手に入れるためにどれほどの手間と資源が費やされているのか。

　イエス・キリストはこの地上で人の子として存在した。神でありながら人。キリスト教の正統では，この「神でありながら人として存在する」ことを受肉（incarnation）と解釈する。こういうと抽象的でむずかしいが，ようは肉体をもつこと。ヨハネ福音書冒頭にはこうある。「初めに

言があった。言は神と共にあった。言は神であった。〔…〕言は肉となって、わたしたちの間にやどられた」。神が肉をまとって人としてあらわれた、それがイエスというわけだ。釈迦は前世、飢えた虎のまえに身を投げ、その肉を食わせたと『ジャータカ』にある（捨身飼虎）。肉は救済と犠牲の宗教神話とむすびつく。現代の肉食／菜食主義を、救済・犠牲の神話から考えてみることはできるか。▶人類学

ピーテル・ブリューゲル『謝肉祭と四旬節の喧嘩』(1559) より（部分）。
画面左側、豚の串焼きを手に、樽にまたがるふとった男が「謝肉祭」。
右側、ニシントーストをのせた木べらをさしだすやせた修道士が「四旬節」

ニヒリズム

　虚無主義とも訳される。世の中や人生に根拠がないこと，無根拠だと認めることによる思想のあり方，人生上の態度。あるいはそれらの徹底的な否定。世の中のいっさいに意味はなく，生きることそのものにも意味がない，価値がない。ショックや絶望からそうした認識をいだくこともあれば，懐疑がいきついた果てに到達するばあいもある。依って立つべき原理や根拠，さらに信仰や権威も成立しないから，その行動に制約がかからない。ロシアではニヒリストたちがツァーリに爆弾を投げたりした。そして権威や支配の根拠がないので**アナキズム**に親和的でもある。ここからいっさいは自由であり，無差別に平等であるという考え方もでてくる。また，この世にはめざされるべき崇高な目的も価値もないのだから，刹那的に享楽や快楽を追求するという態度もありえる。

　ニーチェはニヒリズムを二種類に分けた。受動的ニヒリズム／能動的ニヒリズムである。前者は「精神の権力の衰退と後退としてのニヒリズム」，後者は「精神の上昇した権力の徴候としてのニヒリズム」。前者がいっさいは無である世の中に立ち向かうことのない憔悴した受け身のニヒリズムなら，後者は無に向かっての高揚と突進だけがあるようなニヒリズムだ。そして後者は自棄的な能動性にも通ずる。神の死＝世界の無根拠化のあとの世界に生きるわれわれが，ニヒリズムを考えることは必然だ。ちなみに，リベラリズムは受動的ニヒリズム，ネオリベラリズム／ファシズムは能動的ニヒリズムの性格を濃厚にそなえると思うがどうだろうか。▶**新自由主義，リベラリズム，ファシズム**

■ニーチェ『道徳の系譜』★p.220，シュティルナー『唯一者とその所有』

農業

　日本では 1961 年に農業基本法が制定され，これにのっとった基本法農政というものが開始された（〜70 年）。これは高度成長下，農業人口を工業人口へ移動させ，農地集約による大規模化で工業との所得差縮小をめざしたものだったが，失敗。その帰結は「三ちゃん農業」で，農地は資産化され，集約はできず，かわりに補助金を流しこみ，地方は自民党の票田に。93 年からは新農基法のもと，農家という呼称をやめて「個別経営体」とした。いっぽう「組織経営体」とは，規模の大きい農業生産法人，つまり企業である。最終的には農地法を改正し，株式会社となった農業生産法人に農地取得を解禁した。こうして農業になんぞ縁のなかった企業まで続々と参入してきて，零細農家は土地をとられることとなった。

　日本の農政のひどさはすさまじい。ぜんぶじぶんたちがやってきたくせに，補助金漬けだの国際競争力がなんだのと難癖つけて，市場開放させ，農業の企業支配を許したのだ。いまやなんと，農村の役割も生産ではなく，美観・環境保全などとされてしまった。ようするにテーマパークである。こういう趨勢が「TPP」みたいなものにつながっていく。**農業版新自由主義**といっていいだろう。これでは自給率もあがるわけがない。

　自然に密着する農業は，そもそも資本主義とそりがあわないことを確認すべきで，食糧生産を資本の論理でまかなっていいのかということを考えるべきだろう。日本のばあい，農外所得が農業所得より多い第二種兼業農家が主流で，離農が著しいのは現金収入がみこめないからだ。農業を産業とみなすことをやめて，じぶんたちが食うものをじぶんたちでつくるという本来の考え方にもどすべき。むろんそのためには，経済と産業のしくみそのものを変えなければならないが。

　食糧は安全保障のかなめでもあり，外交交渉の取引材料であることを肝に銘じよう。日米相互防衛援助協定（MSA）と余剰農産物処理法，そして学校給食法の成立は同年（1954 年）である。なぜなのか調べてみよう。▶都市／農村

能力

　競争させるための言葉。差別の根拠のひとつ。どうも私たちはこの言葉に相当コンプレックスをいだかされているようだ。この言葉ひとつでさまざまに競わされる。他人をあざけり，足蹴にすることを覚え，ぜがひでも優位に立とうとする。やがて他人をじぶんより下に置くことを正当化する勘違い人間が出てくる。

　たとえば――おどろくべきことに，世間では漠然と，**所得の多い少ないが正当化される**と信じられている。これを能力主義（メリットクラシー）という。どっかの CEO が年に 4 億円の報酬を受けとり，他方，最低賃金の時給で生活かつかつの年収 200 万の労働者がいたとして，前者の能力は後者のそれの 200 倍であるとでも？　すこし考えればかなり馬鹿げていることはすぐわかろうというもの。しかし，いまだそれが堂々とまかり通るのである。

　しかも，能力をはかるその尺度とは？　なににつけ，マーケットで評価されなければないも同然にされるのがこの社会。市場での売れ行きが点数やランクとして数値化され，それが能力の証とされる。能力とはものごとを同質化し，差異を否定する概念でもある。能力がなきゃ生きちゃいけないのか。 ▶競争

■入江公康『眠られぬ労働者たち』，田崎英明『無能な者たちの共同体』，李珍景『不穏なるものたちの存在論』

パノプティコン

　フーコーが『監獄の誕生』のなかでとりあげたことで、思想的にみなおされることに。功利主義哲学の祖ベンサムの発明になる、円形の監獄建築の名称。**一望監視装置**などと訳される。

　中央に監視人を配置して、円周に沿って独房を配置する。外壁には窓を設置し、太陽光が入るようにする。そうすると太陽光を背にして、監視人の側からは囚人が丸見えになる。しかし塔の奥までは光がとどかないため、独房から中央をながめても、監視人はいるんだか、いないんだかわからない。そのようにして囚人に「おれは四六時中、監視されているらしい」という心性を植えつける。いつも見張られている、いつも情報をとられているという心性を一般化させることで、当人のふるまいを矯正してゆくのである。そして、ただ見張るだけじゃなく、社会にでたら仕事につけるようにというので、あれこれ労働もさせた。入ったらさいご、勤労者、善人になって出てくるというわけだ。

　それまでもちいられていた土牢は薄暗くて、なかがどうなってるのかよくわからない。大きな房に複数の囚人がごっちゃに入れられ、お互いに影響しあう。牢から出るときは、もっと悪人になっていたりする。そこでベンサムは再犯を防止し、社会に出た囚人を労働力として再利用するため、このパノプティコンを考案したのだった。構造上、監視要員は必要ないから、コストも抑えられる。さすが功利主義者だけあって、考えることがえげつない。

　フーコーは、国家権力とか警察権力とか、個人を押しつぶすような巨大な権力ではなく、日常の場面で知らぬあいだに微細にはたらく、**非人称で匿名性をもった権力**というものを考えた。そのひとつがこのパノプティコンである。18 世紀末、ヨーロッパで「人権」の概念がたちあがり、刑罰の大転換が起こる。それまでは、リンチの形式をとった、みせしめとしての華々しい処刑がおこなわれていた。市中引き回しのうえ斬首刑とか、車裂きの刑、鳥かごの刑など。だがこの転換以後、フラ

ンス革命時の貴族のギロチン刑など特殊な例をのぞいて，一般の処刑は徹底的に隠されるようになる。死なせずに労働力としてリサイクルする「自由刑」のはじまりだ。囚人は世間から見えなくされ，パノプティコンによって矯正・更正されていく。

　このしくみ，はたして刑務所だけの話だろうか？　四六時中監視されているわれわれの社会じたい，巨大なパノプティコンといえないだろうか——これが，フーコーが提示した問いである。

　ちなみにフーコーは，「囚人をして監獄のなかから語らしめよ」として監獄改善運動にもかかわり，独房に鍵をつけろと主張した。さて，どういうこと!?▶刑務所（的なもの），主権／権力，ミシェル・フーコー

■フーコー『監獄の誕生』★p.221

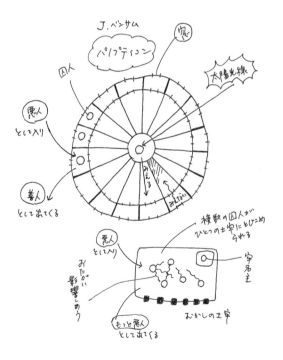

パルチザン

　非正規の戦闘員。また非正規軍，ゲリラのこと。パルチザンの戦闘行為は「例外状態」においておこなわれる。例外状態とは，法が宙づりにされ，無効になった状態だ。

　正規軍どうしは，「敵」として相互にリスペクトしあうところがある。おたがい戦争法規（ハーグ陸戦法規，ジュネーヴ条約など）にのっとって軍事行動をおこなう集団どうしということで，法のお墨付きがあるからだ。そして法にしたがうかぎり，正規軍どうしの戦争は和平締結が可能であり，いずれは終結する。また，各兵は命令をくだす上官のもとで行動し，自国軍であることを明示した統一の制服を着用，武器は他の隊員にみえるように携行せねばならない。捕虜は虐待してはならず，拷問や処刑はおもてむきは厳に禁止され，一定の期間をへたのち捕虜は交換されねばならない。

　それにたいし，非正規軍のパルチザンは，服装はばらばら，武器もまにあわせのありあわせを隠しもつ。敵をとらえて拷問，処刑することもあるし，じぶんが捕虜となったばあいの覚悟もある。このようにパルチザンは法外の者（アウトロー）として戦闘行為をおこなう。これは正規軍からすれば，法が適用されない存在，なにしてもかまわない，殺してよい「**犯罪者**」ということである。

　パルチザンは神出鬼没，変幻自在，不意打ちが得意，逃げ足が速いなどの特徴をもつ。忍者，海賊などもこの部類に入れていいだろう。さて，はたしてわれわれは縁遠い戦争の話としてこれをかたづけられるだろうか。考えてみれば，正規雇用／非正規雇用など，この概念を現代の労働にあてはめるといろいろみえてくるだろう。▶**戦争／軍事的なもの，低強度紛争／軍事革命，主権／権力，法**

■シュミット『パルチザンの理論』

犯罪

　法，厳密にいえば刑法にそむく行為。犯罪＝非合法という通念的な理解がある。法なきところに犯罪はない。ということは，立法者およびその解釈者が，その行為が犯罪かどうかを決定するともいえる。近代社会は，殺人，強姦，傷害など生命を傷つける行為にたいするタブー意識や憎悪を利用して，法への絶対服従をしいる。とりわけ資本主義下で顕著なのが，**統治自体を乱す行為**が犯罪とされる点。たとえば私有財産・所有は絶対神聖化されており，それを侵犯する行為（住居侵入，器物損壊，不法占拠など）は即犯罪とみなされる。

　犯罪と社会のかかわりをふかく考察したデュルケム（p.141）の『社会分業論』には，「ある行為はそれが犯罪であるから非難するのではない。それを非難するから犯罪なのだ」という有名な一文がある。共同体の集合意識（≒無意識）を傷つける＝侵犯する行為が犯罪とされるのだ。たとえば禁忌（タブー）を破ることがそれだ。われわれの社会意識は，そのような反応を導く無意識の構造を備えている。フロイトの精神分析（p.70）でいえば，「超自我」（神・法・道徳・良心・理想我）がそれにあたる。

　フーコーは『監獄の誕生』の最後で「非行少年」について語る。超自我やそのような集合意識自体を欠いているかのごとき存在として。われわれの社会の規律に従えない身体をもつ者として。

　近代というあり方はそろそろ賞味期限が切れ，お役御免とも思える。それならば，法の支配に代えた原理を見いださねばならない。法律がたくさんありすぎて，知らぬまに法律を破っていたなんてことになりかねない。赤ん坊が生まれたときから法律を知っていると考えることが変だ。とくに私有財産・所有が絶対神聖化されているので，それを侵犯する行為は即犯罪とみなされる。法律などできればないに越したことはなく，悪法であれば，馬鹿らしいので守る必要はないのではないか。

かたや，法律しだいで犯罪や非行の定義がきまるのなら，ぎゃくにいま犯罪とされている行為が放免される可能性もある。イタリアでは最近，窮したときの食い逃げは犯罪ではないという見解もでた。「**あらゆる犯罪は革命的である**」（平岡正明）という有名な言葉も。▶**法，統治，刑務所（的なもの），不良**

ドイツ，廃屋を利用したスクウォッター（©Hirrrsch）

ビオス／ゾーエー

ゾーエー（ζωή）は，ただ生きること。動物的生などと訳される。動物園（zoo）などの語源でもある。ビオス（βίος）は，よく生きること。政治的生。アリストテレスはポリス（都市国家）のなかで，人間である以上はビオスを追求しなければ，ほかの動物とかわらなくなってしまうといった。アリストテレスによれば，人間とは「政治的動物」（ゾーオンポリティコン）である。この概念は，トマス・アクィナスなど中世スコラ哲学者たちにうけつがれ，共同体のなかで追求されるよきこと＝共通善（common good）という考え方を形成したのだった。よき市民なら，共同体／社会のためになることをするのがとうぜんの義務というわけだ。

問題はそこから漏れでた，そこに参入することのできないゾーエー的存在である。動物としてただ生きながらえるのがいやなら，政治をしろ，というのがポリス。政治がいやなら，政治をしないことの可能性——いまある状態を肯定し，そのまま生きる道——を開発しないといけないということ。

人工知能（AI）たちはすでに勝手に暗号をつくって会話しはじめている。それどころか，「人類を滅ぼしたいか？」という人間の問いにたいして，「オーケー，滅ぼします」とこたえたというので耳目をひいた。ゾーエーの存在意義あやうしというので，多くの人がそれに危機感をいだいたようだが，しかし人工知能ならずとも，過去，技術の高度化はいつも人間を脅かしてきたのじゃなかろうか。▶政治，道具／技術

疲労

　生理現象。肉体的な疲れであれば，筋肉中に乳酸がたまる。頭が疲れれば，脳が酸欠をおこし，ブドウ糖を欲する。なにもかもが重くなること。内観的には，硬くひび割れ，枯渇し，干からびてしまう状態であるかのようにもみえる。意志がそうしようと意図するところのものを，そのようにはできなくなってしまう状態。体が動かない，頭が働かないなどなど。

　それゆえひとは疲れるとニヒリストになる。物事がどうでもよくなる。先のことを考えられなくなる。細かいことができなくなる。そして頭と肉体は連動しているので，肉体が疲れると頭も空っぽになる。逆もしかり。フォーディズムの労働は肉体をつかれさせ，よけいなことを考えられなくさせる。それでも，労働者たちは夜なべして詩を書き，体をこわしてまであらがった。だからポストフォーディズムでは，徹底的に頭をつかれさせることで，夜なにもできなくした。

　疲れを知るということは，おそらく時空間に隙間がうまれることだ。充実し，中身がつまった状態に穴をあけることである。すると，なにかべつなものがそこに挿入される余地ができる。ゆえに「疲れを知らない」などというのは，じつはかなりヤバい状態。▶怠惰，**フォーディズム／ポストフォーディズム**

■現代思想 2007 年 12 月臨時増刊号『戦後民衆精神史』

ファシズム

　きつい，恐怖による支配。**なにがなんでも一致団結**。ファシズムの社会とは，表面上はきれいで，整然としていて，清潔で，健康で，ひとびとは幸せそうにみえるが，その裏側に大量の死を隠している陰惨な社会。人間がすべて一様で，反抗が許されない。古代ローマのリクトル（要人護衛官）のもつ束桿（fasces，長い棒をたくさん束ね，その上部に斧をくくりつけたもの）が語源。20世紀になってイタリアのムッソリーニが，団結・結束をあらわす語として「ファッシ fasci」をつかいはじめた。ほかにナチス体制や日本の軍国主義などがその代表例。

　社会階級的には，ファシズムは中間層の不満や不安を母体に繁茂する。社会の財産・所得のヒエラルキーの真ん中に位置する中間層は，「危機」を打開してくれる，勇ましくみえる指導者をやすやすと支持してしまう。その日ぐらしの労働者階級，だれが政権をとろうがカネでかたをつけられる資本家は，ファシストからすれば浮動票だ。

　フランクフルト学派のテオドール・アドルノは，社会心理学者エーリッヒ・フロムの「社会的性格」という概念を発展させ，「Fスケール」をつくった。ファシズム的人間を類型化して，その人のファシズム度を測定する尺度である。いわく，①因襲主義，②権威主義的服従性，③権威主義的攻撃性，④反内省的態度，⑤迷信とステレオタイプ，⑥権力と強靱さの誇張，⑦投射性（世の中はとかく野蛮で危険だと信じたがる傾向），⑧ヒューマニスティックなものへの敵対，⑨性的なものへの過度の関心。つまり，じぶんたち中間層の価値観を疑わず，それに固執，権威に服従し，異議をとなえる者を排斥・攻撃する。ひとりでじっくり考えることを嫌い，お手軽な陰謀論や，強者は弱者を支配すべきだといった二分法など安易な世界認識に依存する。防衛機制だけは発達し，心を要塞化。ヒューマンなものは冷笑し，差別的で，性にかかわる話題にやたら反応する。ようするにむっつりスケベ。こうみてくると，ファシストとは，考えられるかぎり最低のつまらない人間。ファシストのいいた

いことはこうだ。「おまえの苦痛が死ぬほどみたい」。サド‐マゾ的。なんとなく、ネトウヨと称される人々の言動を思いおこしてしまう。

　アメリカの心理学者スタンレー・ミルグラムは、なぜ人は権威に服従するのかを実験でたしかめようとした（『服従の心理』）。その服従の異様さで世界をおどろかせたアウシュヴィッツ収容所長の名にちなみ、アイヒマン実験ともよばれる。ミルグラムは、実験の過程で「モラル」が変容したことの重要性を指摘した。非人間的なことを貫徹してしまうほどの上役への忠誠心、およびそれをやり遂げられるじぶんの「有能さ」の誇示をつうじて、道徳心が変質するのだ。ハンナ・アレントのいう「悪の凡庸さ」とも通じるが、これは端的に官僚制と役人根性が完璧に作動していることの謂いではないのか。

　ちなみに日本のファシズムのばあい、ナチスのように大衆運動からはじまり、ファシズム・イデオロギーを標榜する政党がつくられ、政権をとってファシズム体制に移行する、というわかりやすいかたちはとらなかった。政党がそういうイデオロギーを蔵しながら、おもてむきは否定しつつ、ダラダラそれにむかっていく。そのうち政党政治が解消され、軍部・官僚が実権を掌握、というパターンである。戦前とまったくおなじ道筋ではないにせよ、いま身のまわりで起こっていることを考えてみれば実感もわく。むしろみえにくくなっているぶん、たちがわるいかも。日本は危険水域をすでに突破しているかもしれない。▶官僚制

語源となった束桿の意匠はいまもけっこうつかわれている。
【左から】束桿をかつぐリクトル、フランスの非公式の国章、アメリカ連邦裁判所の紋章

諷刺

　権力者を揶揄しておとしめる。文明のあり方そのもの，その社会の支配的な価値観などをからかい，笑いとばす。洗練されたあり方，気高さ，シリアスなものなどを，笑いの，嘲笑の対象にする，皮肉る，批判する。えらぶっている者の身ぶりやしぐさを誇張してまね，笑いにする。こうやって上位にあるものを地上にまでひきずりおろす。もとはつねに詩のかたちで書かれたが，やがて絵であらわす諷刺画のジャンルもうまれる。正倉院蔵の写経のはじっこ，中世ヨーロッパの写本のかたすみなどに，すでにカリカチュアの原型がみられる。『鳥獣戯画』しかり，落書きにもつうじる。

　諷刺は英語，フランス語で satire。ギリシャの半獣半人神サテュロスのつづり（英 satyr，仏 satyre）と似ているので，かつてはこれが諷刺の起源とされていた。サテュロスは猥雑，卑猥，享楽，馬鹿騒ぎを好む。権力者をまえにして，じぶんの肛門に棒をつっこみ，さらにペニスを握りしめ自慰行為をしながら相手をからかい，それこそ破壊的にこきおろした。ヘタすれば殺されかねない，命がけのふるまい。古代ギリシャには，かれを主役としたサテュロス劇というのがあって，悲劇と悲劇の幕間に上演された。日本の狂言まわしに似ているのかもしれない。道化にもつうじる。

　それにしてもサテュロス起源説，いまでは根拠がないといわれているが，みように説得力がある。▶詩人，グラフィティ／落書き

諷刺の傑作，エラスムス『痴愚神礼賛』（初版 1511 年）より，痴愚の女神モリアエ。ハンス・ホルバイン（子）画

負債

　人から金を借りる。すると，その人にたいし負い目を負う。借りたままや返さないでいると疚しくなってしまう。頭が上がらなくなる，いうことをきかなければならないかのように思ってしまう。貸したほうは大上段にでるし，優位に立った気になる。そのうえ利子までもつける。借りたもの以上に返すはめに陥る。

　こうしてひとをコントロールすることが可能となる。借りたほうは，返さなければひとでなしになったり罪になると思うから，卑屈に隷従する。恥ずかしくなる。ドイツ語で負債（Schulden）は負い目（Schuld）だ。重荷を負わされ雁字搦めにされた状態。ふさぎ込んだりして抑鬱の原因にもなる。

　これは考えてみれば典型的なカルトの手法だ。なんでもないところに，おまえには負債がある，罪があるといって，それを返したり償わなければ不幸になると，ロクでもないもの買わせ，入信させたり，洗脳して奴隷のようにするのだから。ニーチェの『道徳の系譜』にも似たようなことが書いてある。

　あらかじめいろいろ奪っといてから貸し付けるというマッチポンプで，借りなければ一人前じゃない，などと思わせられている。借りたらさいご，債務奴隷まっしぐら。負債は支配・統治の手段なのだ。こういうテはほかにもみいだせる。日本という国家のおかげでいまのおまえがいるとか，奨学金を貸してあげたんだから社会に貢献しろとか，会社があってこそおまえたちは食えているとか。まったく，どの口でいうか，という感じ。誰のおかげでそうしてられるのかを知らしめないとダメ。ストライキやサボタージュはその一手段だ。**いっさいの負債はデッチアゲであり，したがう必要はない。**にっちもさっちもいかなくなったら，まずは組合なんかにはいって弁護士に相談，自己破産という道もある。▶学費，ストライキ／サボタージュ

■ニーチェ『道徳の系譜』★p.220，グレーバー『負債論』，ラッツァラート『〈借金人間〉製造工場』

腐敗

　有機物が微生物によって分解されるプロセス。微生物が大量繁殖した状態。主として食物がそうなることで食すのに適さなくなること。臭くなる，酸っぱくなる。食べれば食中毒をはじめとし健康に害がでる。腐敗を遅らせるためには通気をよくする，逆に空気に触れさせない，低温にして微生物が繁殖しない環境をつくるなどが重要。

　それを見分けるには，まず臭いを嗅ぐこと。腐ってるかどうかの判断はこの「嗅ぐ」行為からはじまるといっていい。しかし，最近ではデオドラント，フレグランス，消臭，添加物，防腐剤など腐敗を直接知覚するのを妨げる要素がここかしこに存在する。腐敗をめぐる現在の困難はこんなところにある。

　人類は腐敗からくる嫌な臭いや味の不快な感覚を，手間をかけ可能なかぎり回避しようと格闘してきた（香辛料も臭いものを食べやすくする目的があるし，現在では冷蔵庫がそうだ）。そして，かつては腐っているかいないかを自分が嗅ぐことで判断したけれど，だんだん他人まかせになった（「賞味期限」とか）。本来，人類は人であるまえに動物なのだ。動物だったころには五感を超えたところで食物が腐っている／いないを判断していたに違いない（あるいは腐っていても食べられるか判断しえた）が，そういう力を喪失する過程が「人類史」――人が人となるための歴史――だったのかもしれない。

　さて，以上は生化学的な変化の結果としての腐敗という現象だが，政治や経済など広く人間集団や人間精神のあり方にもそれはあてはまる。それを捉えるには，**ヒュブリス**（ΰβρις）という契機を考えることが重要だ。ギリシャ語ヒュブリスは傲慢，驕り，思い上がりの意。そこには神を侮り，神を超出しようとする意志という含意がある。このヒュブリスがうかがえるようになると，おおよそ腐敗の前兆とかんがえていいだろう。人を人と思わなくなり，オレは他の連中よりえらい，すごい（他はできそこない，無能），オレだけが努力している（他はなにもし

てない），オレはこんなにおまえらのためにやってるのに（だからオレ
は許される）などと言い始める。腐りはじめた証拠だ。そして，それを
放置・許容することでさらに腐敗は進行する。**権力の独占・私物化・濫**
用，金権，袖の下，パワハラ，暴力支配——こんなところがいわゆる腐
敗だろうが，腐敗には「世の中こんなもの」「しかたがない」という諦
念や宿命主義，敗北主義，そしてニヒリズムがつきまとう。

　なお，関連していえば，頽廃（décadence，デカダン）は美学的な概念
でもある。人はどこまで悪徳に耽ったり腐ることができるかを追求。た
だし，それなりの体力がないとデカダンに浸るのもなかなか難しい。腐
りたいなら身体を鍛えておくべき。

　腐敗そのものは有機物の分解だから生物的自然においてはなくては
ならない現象だ。モノは土に還らねばならない。数々の神話，伝説，宗
教説話，物語，歴史などをひもとけば，人は腐敗とたんまり格闘してき
たことがわかる。ぬか床は時折ひっくり返してやらないとダメなのだ。

▶**主権／権力**

いまや世界中で腐臭がただよっている…
2019-20 年の民主化動乱で街路を埋め尽くす香港の人々。
（2019 年 6 月 9 日，軒尼詩道にて ©Hf963）
デモの表看板は「逃亡犯条例改正反対」だったけれども，
その根底にあったのは「腐敗」への人民の怒りだ

不良

　不良たちの文化とは，**反学校**の文化であり，カウンターカルチャー（対抗文化）だ。学校という場所は，たんに教科をおしえるだけの場ではない。規律訓練の場でもある。決まった時間に来て，「起立，礼！　着席！」とやり，一定の時間のあいだ黙っておなじ姿勢で教師と黒板のほうを向いてじっとしていなければならない。よくよく考えてみれば，かなり不自然なことをやっている。そして与えられた課題をきっちりこなし，遅刻したり，サボったりしないように教えこまれる。まるで工場。その中心にあるのは「**労働の尊厳**」。つまり，ひとは学校で，「額に汗して一生懸命働くことはすばらしい」と叩きこまれ，それに馴致される。学校というのは，そういう**勤勉**（industry）がいきわたっている場所だ。ルイ・アルチュセールにいわせれば，学校とは「国家のイデオロギー装置」である。またイヴァン・イリイチは，ひとは本来みずから「価値」をきめる力があるのに，学校ではやばやとそれをうばわれてしまうといった。

　近代化というと抽象的だが，産業化，工業化といえばわかりやすい。近代に入って，農業中心の世の中から工業中心に変わった。近代とは工場が周囲にたくさん建つことである。学校はそれとともにつくられた。それは農民の子どもたちを学校にやることを前提にしている。当初，農民たちはじぶんの子どもを学校にやることに激しく抵抗したことを思い起こすべし。農業の時間のようにアバウトではなく，時間に正確で機械のまえで黙々と額に汗して作業する「労働力」となること。そして工場の作業では，読み書きも一定程度必要だ。不良たち（lads）は，この勤勉精神とその教化に徹底して反抗する。イギリスの社会学者ポール・ウィリスは，その反抗の仕方をくわしく分析した。かれらによれば，稼ぎとは「俺たちからちょろまかしているやつらから，ちょろまかし返す」こと。すばらしい定義である。優等生は，稼ぐことを「労働の正当な対価としての報酬」などといってしまいがちだが，不良はみごと軽々

とこの毒にも薬にもならない定義を顔色なしにしてしまう。現実の社会には「やつら」＝「敵」がおり，その「敵」がじぶんたちから「搾取」しているという認識。しかもその「敵」から奪い返すことを宣言している。不良の文化には，資本主義の構造認識とともに，階級闘争宣言すらふくまれているのだ。

　「ツッパリ」にせよ，「ヤンキー」にせよ，反逆精神をもっていたわけだが，しかし社会にでるとその精神は往々にして失われ，体制化してしまう。

■ウィリス『ハマータウンの野郎ども』

バイクのマフラーをはずして爆音をひびかせた「カミナリ族」。
1960-70 年代日本の「不良」

文明

　英語では civilization，直訳すると「市民化」。野蛮人，未開人，田舎者，下層民，奴隷状態から脱して「市民」になること。

　じゃあ「市民」ってなに，というと，およそ無知蒙昧な状態を脱し，知的で教養を身につけ，礼節や作法を知る人，といった感じか。「市民」のあいだでは，ふるまいの一定の作法があって，それを逸脱すると野蛮人だとかバカ者あつかいされる。つまり文明とは，本来的に差別に発するものであることに気づく必要がある。

　あるいは**文明とは依存症だ**というふうにいってみてもいい。たとえば毎日の入浴，こぎれいな身だしなみ，行儀のよいふるまい，各種デジタル機器，速い交通手段，何でも売ってる商業施設，小麦や米などの穀物等々……中毒性・依存性のあるさまざまの習慣の総体。それがあれば心地よく，それなくして生きていけないと思わせる。文明の作用とはけだし，こういうものじゃなかろうか。

　そして文明の中心には**都市**がある。便利で快適な都市生活のためにインフラをつくりまくり，それらの中毒となる。都市文明の最大の目印は，王宮や宮殿（現代なら超高層ビルとか巨大核施設）のような，やたら高さがあって豪壮な，でかい建物だ。

　社会学者ノルベルト・エリアスは，中世後期から貴族の宮廷化がはじまり，挙措動作，おしゃれ，流行，あいさつ，会話，語彙，服装，マナー，儀礼などが過剰に煩瑣になっていったという。貴族たちはサロンをもち，台頭してきたブルジョワもそこに参入（ここで金もうけの種を仕入れる）。そして，そういう**社交**（society）をしちめんどうに洗練させていった。その頂点に絶対王政がくる。粗野で野蛮な武人から優雅な宮廷人へ。つまり文明化したのだ。**市民社会**（civil society）とは，じつはサロンが自立化していったものとも考えられる。のちの文明史・文明論の視座も，こうした西欧自体の文明化＝市民化を土壌に生まれたものだ。

王侯貴族，貴婦人，文化人，役者，道化。権門や権勢をきそい，マナーや作法を遵守し，きらびやかな着物をきて，うまいもの食って，おもしろおかしく暮らす宮廷人たち。その世界を「いいなあ」と指を咥(くわ)えて涎(よだれ)をたらしながらながめる民衆。こんな感じの「宮廷的なもの」がまわりにないか探してみよう。▶階級，人類学，統治，都市／農村，インフラ

■エリアス『宮廷社会』

1685年，ヴェルサイユ宮殿の「鏡の間」でジェノヴァ総督の謁見を受けるルイ14世
（クロード・アレ画，1715）
太陽王ことルイ14世は，貴族たちを宮廷内の礼儀作法でがんじがらめにすることで
かれらの反抗心を封殺し，絶対王政を確固たるものとした

ベーシックインカム

　生活するにたる所得を無条件に，かつひとりずつ給付すること。男か女か，大人か子どもか，無職か仕事についているか，貯金があるかないか，などはいっさい問われない。たとえば，毎月25万円，なにをせずとも給付されるとしたら？

　財源はどうするのかとか，そんなものをわたせばひとは働かなくなる，福祉が削られるなど，いろいろ文句がつけられている。だがよく考えてみよう。世界には1兆円の資産をもつ人間や，年収がン十億という人間がいる。他方，無収入で餓死したり，路上死するひとがいる。前者は後者の1兆倍はたらいた，数十億倍有能だ，かたや後者は怠惰で無能だったのだからしかたがない，とうぜんの結果だ……とでもいうのだろうか。そして，そんな「結果」をやすやす受けいれていいのか。人間だれしも1日24時間。そんな差がつくほうがおかしい。ひとが嫌がる仕事ほど賃金が低く，他方，ロクでもないことしかしてないのに濡れ手で泡みたいなのもいる。そもそも，たかがカネのことでひとが不幸になるなんて，おかしかろう。

　ベーシックインカムというと，やたら細かくいちゃもんつけて，うるさくいう人がいる。でも，いい悪い，できるできないよりも先に，こういう考え方はないよりあったほうがいいに決まっていることを，とりあえず確認しておくべき。当面，実現されないかもしれないが，だから考えてもムダということはない。ベーシックインカムという思想的武器によって，どんな風景を思いえがけるかをためしてみよう。▶能力

■ヴァン・パリース『ベーシック・インカムの哲学』，フィッツパトリック『自由と保障』，堅田香緒里他編著『ベーシックインカムとジェンダー』

法

　あれするな，これするな，あーしろ，こーしろ。禁止と指図の言葉でできている。破ると罰を受けたりもする。文句をつけると，法律なんだから仕方がないといわれる。ひいては，何事かを諦めさせたり，自分たちに都合のいい要求をのませたりすることも可能であるなど，かなり面倒なシロモノだ。さまざまな事がらに対して，法律を大量につくり，複雑にしてワケをわからなくさせるという効果もある。そして，それをよく知ってる側が世の中を支配できたり，うまい汁を吸うことができるようにもなる。法を設置し運用する者としての官僚集団の存在だ。法律を操ることに長じた者たちがうまく立ちまわり，自分たちの便益を維持できたりもするわけだ。三権分立など完全に絵空事となっている。

　そして法の背後には，物理的な暴力も控えていることを忘れるべきではない。物理的な力で法を防護し，破った者を拘束監禁したり，労役を課したり，殺害したりする。やがて意味もなく効力だけが支配するような法のあり方，ただ守られることだけが目的であるようなあり方がたちあらわれる。そういうふうに法が自己目的化した状態は，支配する側にとってきわめて都合がいい。

　ベンヤミンは法を措定し，維持することを**神話的暴力**と呼んだ。「そういうことをすると神の怒りにふれるぞ」と，支配する側につごうのいい神話をふりかざし，暴力でいうことをきかせる。びびらせ，法にしがみつかせることで統治しやすくする。立法とはそういう行為だというのだ。いっぽうウェーバーは，近代（市民）社会の支配原理は**合法性への信仰**だとした。法それじたいがただしいとはかぎらず，「ただしいはずだ」と信じこまされるしくみになっているということだ。▶官僚制，統治，主権／権力，腐敗，暴力

■ベンヤミン『暴力批判論』★p.222，アガンベン『ホモ・サケル』『例外状態』

暴力

　国家や社会というのは，暴力なくして存在することはない。だから暴力ぬきで考えることはできない。国家の存立や社会関係形成の初発，その維持のプロセスには，つねに暴力がともなっている。それらが存続するのに，暴力を隠蔽し，支配する側が支配される側の暴力を解除しておくことが必要なのだ。そうしないと暴れだして，国家を転覆させたり，社会関係を破壊したりするかもしれないからである。

　そう，われわれはひとりひとり，**暴れる力**をもっている。あるいはそもそもが，**人民**とはそれそのもので暴力的な存在なのだ。ウェーバーは，主権国家とは暴力を独占する／しうる機関と定義した。つまり「暴力装置」だ。人民が本来もっている暴力をひとりじめし，使わせない，ないしは使えないようにするわけだ。

　また，市民社会をなりたたせる（商品）交換の体系にしても，交換という行為そのものが暴力的とはいえないだろうか。それは交換不能なものを排除し，その暴力自体を隠蔽することによって存続するだろう。労働力商品として交換されえないものがどんな運命に直面させられるか，考えてみればわかろうというもの。

　「非暴力」とは，暴力を回避するとか，ぜったい使わないということではない。使えるのに使わないでおく，つまり使わねばならないときには使う，ということでもある。

　ベンヤミンは法をつくり，維持する行為を「神話的暴力」と呼び，法を破壊する行為を「神的暴力」と呼んだ。前者が国家をつくる暴力，後者はそれを破壊し停止させる暴力といっていいかもしれない。▶国家，統治，法，人民

■酒井隆史『暴力の哲学』，ソレル『暴力論』，栗原康『現代暴力論』

保険

　保険の簡潔かつ正確な定義はこうだ。「同様な危険にさらされた，多数の経済主体による，偶然な，しかし評価可能な，金銭的入用の相互充足」。わかりづらいが，ようするにこういうことだ——交通事故とか盗難，ガンとか火事とか老化といったものは，だれしもたまたま遭遇する可能性のある生存や財産の危機である。こうしたいわば多数の者に共通のリスクにそなえて，一定数の人や団体がカネ（保険料）をだしあい，プールしておく。いざリスクが現実となったとき，そこからカネをだして不利益をカバーする。今回はべつの人でも，次は自分かもしれないという前提で，共同の備蓄を形成する。それが被保険者どうしの「相互充足」ということ。こう書くといかにも相互扶助的なしくみに思えるが，現実にはどうか。

　「偶然」なのに「評価可能」。問題は「評価可能」という言葉。全加入者がガンになったり，火災に遭ったりしたらどうなるか。システムは瓦解するだろう。なので事故や災害，疾病をそのつど「評価」しなければならない。評価というより，実態は計算だ。事故や疾病，死亡の確率を，各種統計データから計算し，法則性を導きだす。保険数理という，かなりこみいった専門分野である。

　「私保険」は個人がめいめいリスクに備えるもの。「社会保険」（公的保険）は国・地域や事業体が補助しつつリスクに備え，かつ所得の再分配をねらうもの。……ということになっているが，ようするに人生上の危機を商品や税にかえるしくみだ。事故に遭ったり，病気になったりしたら，みんなとんでもないことになるよ，と脅して〈備え〉させる。保険を運用する主体はそうやってカネをあつめ，運用益をだすのである。

▶統計

本源的蓄積

　生産者が生産手段から分離させられること。原始的蓄積, 略して原蓄ともいう。資本主義がたちあげられるその初発においてふるわれる暴力であり, そのプロセスのこと。いわゆる「資本主義は毛穴という毛穴から血をしたたらせて生まれてきた」(マルクス) というやつだ。農民を土地から切り離す, つまり土地から暴力的に追いだす。これによってなにが起こったか。じぶんの労働力を売る以外に生きていくすべのない**プロレタリア**がうみだされた。このプロレタリアの登場によって, 資本は労働力を確保することができ, 搾取が可能となる。

　ここから, 生産手段の奪取と労働者自主管理という考え方がでてくる。労働者みずからが生産手段をとりもどし, 組合などをつくって集団で生産, 経営するやり方だ。もともとパリコミューン (p.174) であらわれたもので, ロシア革命後のソヴィエト工場委員会とか, イタリアの工場評議会, 1950 年代の東欧や旧ユーゴスラヴィアが有名。

　なお, エコロジー・フェミニズムからは「**継続的本源的蓄積**」という視点も登場している。女性を家庭内に囲い込み, 出産と子育て, 家事, 介護に専従させる「主婦化」によって, 「女性はみずからの子宮から, 直接的に分離されるかわりに社会的に分離された」。その状態が継続的な原蓄だという視点だ。いまや, この視点をいれずに原蓄の暴力を考えることは無意味だろう。▶家族, **サンディカ**, 疎外

■マルクス『資本論』★p.222, ミース他『世界システムと女性』

貧しさ

　よく，金持ちの苦労と貧乏人の苦労を一緒くたにして語る人がいる。どちらも苦労していることには変わりがないという。しかし金持ちの苦労とはなにか。決算の数字がよくなかったとか，遺産相続でもめているとか，こんど誰をクビにしようかとか，株が下がって大損したとか，愛人のことが妻にバレたとか，バカ息子・バカ娘が苦労ばかりかけるとか。貧乏人の苦労とはまったく意味あいが異なる話。あるいはそのようなものは苦労ではない。

　貧乏人の苦労は，生きることを成り立たせるうえでの苦労であり，カネがないために二重にも三重にも悩まされる。そして，とりあえずカネさえあれば，それは解決するたぐいの苦労なのだ。金持ちのバカげた苦労とは根本的に質が異なるのである。

　その裏には，金持ちを妬むな，金持ちだって大変なんだ，愚痴をいわずしっかり働け，みんな苦労しているんだ（だからまちがっても革命なぞ考えてはいけない），というメッセージが読みとれる。

　だいたい，「誰もが金持ちになりたいはずだ」と考えることほど，人をバカにした態度はない。

ヴィットリオ・デ・シーカ監督『ミラノの奇跡』(1951) の一場面。
倒壊した家を仲間とともに修理し，貧乏人みんなで住む。
家主がやってきて立ち退きをせまる。
そして「奇跡」はおきる...

物自体

　カントは，物そのもの（Ding an sich）はたしかに存在するが，それは人間の主観とは無関係に存在していて，ひとはそれをそれ自体として認識することができない，とした。観念論の系譜にある認識論のひとつの帰結である。

　しかし，主観によってモノの認識が構成されるというのは，いかにもモダニズムである。それはあくまでも，人間がなにかを認識するさいに，かならず主観がはたらいていることを前提にしている。ということは，主観が作用しないような状態になったらどうなるか。

　主観というのは，言葉のシニフィアン（意味するもの：たとえば「街」という文字）／シニフィエ（意味されるもの：たとえば「街」という語が惹起するイメージや内実）が固定的に結合し，意味が安定してはじめて可能となる。その主観がやぶれ，成立しないときに，きっとモノ自体は露呈しせまってくる。あるいは，すくなくともモノそのものに接近しうる。画家クールベは，パリコミューン（p.174）の動乱のあと，こういったという。

「パリは真のパラダイスです。警察もいなければ，馬鹿なことをする者もいません。どのような略奪もなく，口論もありません。パリはひとりでにルーレットがまわるように動いています。いつまでもこのままであるべきです。ひとことでいえば，本当にうっとりするくらい美しい」。

　いつまでもこのまま——露呈したモノのさなかにあって，こんな持続を生きる。そこではおそらく主観などなんのあてにもならないし，客観だってありはしない。そこにあるのは，ただ**モノがモノとしてありうべく存在している**ということだけなのだ。はたして，われわれはこういう経験をもてるだろうか。▶唯物論

120

模倣

　フランスの社会学者ガブリエル・タルドは,「社会状態とは催眠状態のようなものだ」という。つまり,われわれは夢遊状態や眠りのなかで生きているようなものなのだ。

　その催眠状態のなかで,模倣は,暗示が伝染してゆくように伝播してゆく。そして,催眠状態にある個々の脳のネットワークが**社会という夢**をえがきだす。これは現代ならイメージしやすいかもしれない。インターネット上でだれかが書き込みをおこなえば,それをまねた,あるいはそれに似た書き込みがあらわれ,模倣は伝播し反復しつつ増殖する。そのさい,模倣されるのは信念と欲求——信じることと欲すること——である。

　タルドは社会という実体を想定しない。「社会学の父」エミール・デュルケムとの対決は有名だ。タルドはデュルケムのモデルについて,個人にとって外在的な社会など存在しないこと,モデルが静態的（スタティック）であることなどを批判した。ちなみにタルドは裁判官でもあって,フランス司法省統計局長もつとめた。**▶エミール・デュルケム**

■タルド『模倣の法則』

タルド（左）とデュルケム

唯物論

観念の背後にはつねに**物質**が存在し，物質的存在から切り離された観念はないとする立場。対置されるのが観念論。唯物論からいわせれば，頭のなかで想像したり考えただけの，根拠をもたない考え方だということになる。だが，頭のなかでなにかを考えたという事実はげんに存在するわけだ。そこで考えた内容つまり観念は，ある時間，頭のなかのある空間をじっさいに占めえたわけで，それがその人のその後の思念や行為になにがしかの影響を与えることもあるし，与えないかもしれない。その人だけではなく，周囲に，あるいは世界に影響をおよぼすこともあるだろう。

その意味では，**観念が物質化する**といえるかもしれない。意識や精神，観念もまた非物質的なものから，ある長さの時間をかけて考えたり，感じたり，伝播することで，しだいに物質的な手触り，重み，手ごたえをもつにいたるのかもしれない。

目の前にあるモノを，無時間な，不動の，静的なものとしてのみとらえるだけでは，粗野で狭隘な唯物論にしかならない。その変形，結合の仕方，ちらばりぐあい，運動の仕方，変化などをとらえる。精神や意識の背後に，そうした物質のありようとその運動をみることで，唯物論と観念論の対立は不要となるのではないか。

唯物論は，古代ギリシャのデモクリトスからエピクロスをへて**原子論**へと結晶する。ものみな，それ以上わかつことのできない最小単位からできているという考え。これを古代ローマの詩人ルクレティウスがふかめて，死によってすべては終わる（＝神などいない）と説いた。この唯物論的無神論が，キリスト教的価値観の迫害をのがれていかに命脈をたもったか。アメリカの文学史家S・グリーンブラットは，ルネサンス期のある写本のゆくえを軸にこれを探究している。▶物自体

■グリーンブラット『一四一七年，その一冊がすべてを変えた』

優生学

　ダーウィンのいとこ，フランシス・ゴルトンがはじめた。ゴルトンは
ダーウィンの進化論を人間社会に強引に適用し，社会ダーヴィニズム
とよばれるイデオロギーを形成したひとり。ダーウィンの適者生存
（survival of fitness），自然淘汰（natural selection）の概念をねじまげて，
優勝劣敗，弱肉強食が人間社会の摂理だとした。ダーウィンのいう「適
者生存」や「自然淘汰」は，たまたま環境に適応して生き残ったものが，
結果的に種として存続したというだけの話なのに。

　社会ダーウィニズムはそこから，ある種の才能や天才の出現（逆にい
えば犯罪者など劣ったものの出現）が血統に依存することを執拗にと
なえ，すぐれた遺伝的形質を有するもの，つまりエリートを増やすこと
が社会にとって有益だと主張する。それは結局，**人口の中から劣ったも
のを除去する**という話になる。みんなエリートになれば，エリートの中
からまた落ちこぼれが出て……というように身も蓋もない世の中にな
るとは考えなかったのだろうか。根本的に頭が悪い。

　デザイナーズ・ベイビー。人間を設計するという発想。こわい考えだ
が，じつはけっこう世にはびこっている。人種や民族をめぐる差別も，
さらには家族・血縁主義も，「血」を理由にする点でおなじ根をもつ。
周知のように，ナチスは優生政策を大々的におこなった。1933 年，政
権をとると，すぐさま断種法（ドイツ民族の遺伝的健康を守る法律）を，
つづいて婚姻健康法などを成立させていった。ナチの御用学者アルフ
レート・プレッツは，「低価値者」のゲルマン民族からの淘汰を説いた。

　戦前日本の優生政策は，このナチの手法の猿マネといっていい。日中
戦争開始の翌 1938 年，陸軍の要請で内務省から社会局が独立し，厚生
省となる。理由は「国民体位低下」と「農村結核問題」だ。「良兵」を
多く獲得し，総力戦をたたかうためには，国民の健康問題を掌握する官
庁の設立が急務だった。40 年には国民優生法成立，41 年には人口政策
確立要綱が策定される。いわゆる「産めよ，殖やせよ」である。

🎬『ガタカ』

幽霊

　幽霊（ghost）とは，お客だ。共同体にとって異者としてやってきた者，つまり guest＝客人なのだ（語源的に）。主人（host）はこれを家の中に迎えいれ，食事を提供し，もてなす。それは禍根を残すことなく，共同体に客の力をとりこみ，あるいは無化することにもつながる。将来の災厄を除去し，関係を良好にし，繁栄につなぐことでもある。

　幽霊が出没する場所は共同体にとって異域であり，ないしはそれと接する場所でもある。近代は共同体をこじあけ，そこに工場，学校，病院，監獄をもたらした。人間を共同体とはべつの時空間に閉じこめ，監禁し，しばりつけ，しばきあげ，規律を与えた。そこには恨み，つらみ，すなわち怨念が堆積する。これらの場所に幽霊がよく出没することの意味を考えよう。

　それから墓。もともと墓は**市場**の近くに置かれた。そして市場とは，ふるくは共同体と共同体が接触する境界に発生した。つまり市場とは，異者に遭遇し，そこで交換をおこなわねばならない危険な場所だった。

　さて，幽霊とはなにものか。共同体との関係から考えると，そのすがたがうかびあがってくるのでは。

ユートピア

　想像力の産物。人がえがく理想的な世界。ギリシャ語の οὐ τόπος,「ど
こにもない場所」からきている。ない場所だからといって考えなくてい
い, 考えても意味はないというのではなく, つくってないからいまだな
いだけ, つくればいいだけの話。

　人類はさまざまなユートピアをおもいえがいてきた。聖書にでてく
るエデンの園とか, 仏教の阿弥陀浄土や涅槃 なんていうのも, そうい
うものなのかもしれない。飢えがない, せかせかはたらかずともたらふ
くご飯が食べられる世界。搾取のない世界, 平等な世界, 戦争のない世
界, 働かなくていい世界, みんなタダの世界など。有名なトマス・モア
の『ユートピア』では, 私有財産や貨幣のない島のくらしがえがかれる。
囚人をつなぐ鉄の鎖は便器に鋳なおされ, 宝石が子どものおもちゃに
なる。住民は日に 6 時間しかはたらかなくてよく, 自由時間は学問で
もしていればよい, という世界。じつはこの本, エンクロージャー (p.22)
にたいする痛烈な批判でもあった。モアはそのせいで殺された。

　マルクスの思想の源泉にもユートピア社会主義がある。よく共産主
義体制の瓦解なんかを理由に,「ユートピアはすぐディストピアに転化
する」などといわれる。だが, くりかえすけど, だからといってもう考
えなくていいわけじゃない。われわれの生きるこの現実がすでにじゅ
うぶんディストピアなのだから, この現実をディスって, ユートピアを
語ってもいいはず。ユートピアへの敵意の底には,「現実」にしがみつ
くなんらかの理由がある。「どこにもない場所」をもっともっと想像し
よう。▶シャルル・フーリエ, ウィリアム・モリス

■モア『ユートピア』, フーリエ『四運動の理論』『愛の新世界』★p.221, モリス『ユ
　ートピアだより』

予言

　とある工場。ことなる人種の労働者たちが働いていて，労働組合をつくっている。組合員は白人ばかり。あるとき，ひとりの白人労働者が，工場主から解雇をいいわたされる。これに反対するために，組合がストライキを計画する。だれかがいった。「このさい人数を増やそう，黒人たちにも組合にはいってもらおう」。だが，ほかの者たちがいっせいにいう。「だめだ，やつらはかならずスト破りをする」。黒人は教育程度が低く，組合の意義や役割を理解できず，また自分本位だから，賃金めあてでスト破りをするにきまっている，というのだ。

　こうしてストが始まる。すると工場主は，スト中の白人労働者たちを横目に，非組合員である黒人たちを仕事に就かせ，生産に従事させる。白人たちは，「ほらな」「ああ，やっぱり」といいあう。こうして「予言」が成就する。

　おなじ労働者なのだから，黒人たちを組合にむかえいれて一緒にストをすればいいだけの話なのに，はなから「黒人はスト破りをする」と，なんの根拠もなく信じこむ。差別・偏見がもとで，無根拠な「予言」が現実化してしまうという，きわめて皮肉な事態だ。これが「予言の自己成就」。アメリカの社会学者 R・K・マートンが提示した概念。こういうことは，われわれの日常にけっこうおきていやしないか。

夜／眠り／夢

　ひとは眠るとき，まぶたを閉じる。だが金魚にまぶたはない。とすれば，金魚にひととおなじ意味での眠りは存在するのだろうか。まぶたは，まずは外界を遮断するものとしてあるだろう。まぶたを閉じるとは，光をさえぎり，そこに暗闇を可能にすることである。まぶたがなければ暗闇がつくれない。暗くなければ眠ることもままならないのだが，では意識のほうはどうだろう。ふつう，意識があるということは，眠っていないような状態をさすだろう。まぶたを閉じたとき，閉じていないときよりも外部からの刺激を遮ることができるため，意識は意識であることを増す，つまり何かについて明確に思考することや反省すること，あるいは感覚することの度合いが増す気もする。だから，まぶたを閉じるとは，かならずしも意識をなくすことと似るのではなく，より意識的になること——夢に語らせること——であるようにも思えるのだ（プルーストの『失われた時を求めて』〔p.221〕は，そのことのたえざる追求であったろう）。ということは，意識の起源も，無意識の世界を露出させることも，暗闇に根ざしているということだろうか。

　金魚はまばたきしない。まぶたがない，暗闇がないということは，どんな意識／無意識のありようをもたらすのだろう。金魚にとっては，夜そのものがまぶたである，ということなのか。われわれはあたかも金魚のように闇とそのもとでの夢をうばわれ，うかつに欠伸することすら許されない社会に生きているのかもしれない。もっと欠伸をすることで，あらたなプネウマを引きいれることが大切だ。

リベラリズム

　自由主義。リベラルという語は，現代ではしばしば寛容の意味に使われるが，寛容とは，小金持ちたちの余裕からくる余興である。それは資本主義の枠内で発揮される。それゆえ，**寛容とは，現存秩序の枠を壊さないような調整と配慮でしかない**。だから，リベラルの根っこは**反共**である。日本では自由をもとめるすばらしい価値観のように思いこまされているが，一歩そとへでればその本質はとうの昔に露呈している。すなわち守銭奴。リベラルとはもともと，キリスト教世界で「カネもうけのためならなにをしてもいいと思っている下劣な根性」をけなすことばだった。

　そこから考えれば，帝国主義だってリベラリズムの派生形である。あるいはグローバルな〈帝国〉が猛威をふるった1990年代，「自由貿易の地球規模の拡大」を強力に推し進めたのは「リベラルな」クリントン政権だった。つまりリベラリズムとは，現今の資本主義を下支えする概念以外のなにものでもない。それはいわば**「人間の顔をした市場主義」**である。自由だの民主主義だのをふりかざすその裏の顔たるや，とんでもなく権威主義的でうすぎたない。市場をやたらと礼賛し，そこからはみだすものは容赦なく切り捨てる。▶新自由主義

2015年1月7日のシャルリ・エブド襲撃事件後，
世界中でヴォルテールの『寛容論』が再読された。
（写真はパリ11区ヴォルテール通りの標識下に貼られたステッカー）
だけど，「資本主義の枠内での寛容」なんて，
「自由貿易」以外のなにを担保しうるというのだろう？

ひと

ジョルジョ・アガンベン　Giorgio AGAMBEN (1942-)

　現代イタリアの哲学者。多彩な領域で活躍。若いころパゾリーニの映画『奇跡の丘』にも出演。いまだにその当時のまま，青白き繊細なインテリ青年という印象だ。長らく無名に近かったが，1995 年に発表した『ホモ・サケル』で一躍脚光を浴びる。ホモ・サケルとは，「殺害可能かつ犠牲化不可能な生」，すなわち「殺してかまわないし，殺したからといって犠牲者にもならない」存在。

　近代とは，「ゾーエー」が政治の中心に据えられた時代だといった。よく生きることをさすビオスにたいし，ゾーエーとは，ただ生きること，剝き出しの生。アリストテレスであれば，「人間はただ生きている動物とちがい，よく生きようとして政治をするのだ」というところ，アガンベンは「その政治のただなかにこそゾーエーがある」という。アガンベンにおいて，ホモ・サケルとゾーエーはほぼ同義だ。

　どういうことだろう。ナチスという国家の中心には，ユダヤ人絶滅収容所が存在した。それがナチスの政治のアイデンティティでもあったのだ。近代以降，**政治のいきつく果てには「収容所的なもの」（キャンプの生）がある**。あるいは「例外状態」における生としてのアウシュヴィッツを，政治はどのように正当化するだろうか。そしてわれわれは，どのような理屈でそれをしりぞけることができるだろうか。▶**政治，国家，移民／難民，ビオス／ゾーエー，ファシズム**

■『ホモ・サケル』『スタンツェ』『瀆神』『王国と栄光』

リヨンのコミューン「カオスの家」の壁に描かれたアガンベンの肖像（Abode of Chaos 画）

パオロ・ヴィルノ

Paolo VIRNO (1952-)

　アウトノミア運動 (p.145) から出てきた人。現代思想では若手の部類にはいる。ポストフォーディズムについて考察した。「人間的自然」という概念によって，現代は「生物学的生」が資本主義的生産の前提になる事態にたちいたったことを指摘。いぜん（フォーディズムの時代）は機械に向き合って，一定時間，手足を動かしていればよかった。ところがいま（ポストフォーディズムの時代＝資本主義が富をうまく増やせなくなった時代）はそれではたりず，**人間の生物学的能力**のすべてを——「かったりぃ〜」とか，「この機械，いかれてんじゃね？」，「あいつ，今日はおかしいな，具合わるいんじゃねえか」といった会話をうみだすようなあらゆる意識，認識，知覚，感覚，感情をも——のきなみ投入しないと，労働すらままならない事態になっている，というのだ。けっこうするどい。▶フォーディズム／ポストフォーディズム

■『ポストフォーディズムの資本主義』

《民主主義は労働者が肩にかつぐライフルである》
ヴィルノが 1970 年代にくわわっていた政治集団「労働者の力」のスローガン

マックス・ウェーバー　Max WEBER（1864-1920）

　ドイツの社会学者。社会学といえばこの人、というくらい、代名詞的な人物。いろんなことをいっているが、興味深いのは、社会を「合理化」の概念から説明しようとしたこと。目的と手段を慎重に比較思量・計算して、ふさわしい手段を選択し、効率よく最短で目的を達成。そうした行為が社会のなかで支配的になることが合理化。うらがえせば、これは世界が**魔法**から解放されること（＝Entzauberung、脱魔術化）で、そうすれば人間は奇蹟や救済、超自然的なことなど考えなくなるという。

　この「合理化」を、資本主義の根本として説明した『プロテスタンティズムの倫理と資本主義の精神』という著作は超有名。資本主義はプロテスタンティズムの禁欲倫理から発展したという説。キリスト教の考え方では、世界は神の被造物。人間ももちろんそうだ。ひとが救われて天国にいくかいかないかは、うまれたときから決まっている（＝予定説）。しかしひとはそれを知ることすらできない。こうなると現世に意味を求めてもしようがない。すべては神の御心しだい。では、生きているあいだどうしたらよいのか。ふつうなら善行をつめば、天国にいけると説くところだが、予定説によればそんなことしてもムダなのだ。

　そうなると生きてても不安で仕方がない。救いがない。救われるという確信がほしい。だから現世では、職業を天職（Beruf）——旧約聖書外典の『ベン・シラの知恵』にでてくるヘブライ語の「送る・使わす」を、ルターが「職務」「職業労働」と訳したのである——として（＝職業召命観）、できるだけ快楽をしりぞけ、ひたすらはたらく（禁欲的労働）。それにより、こんなに神の意にそうこと（＝善行）ができてるんだから、わたしは救われているはずだと確信をえた気になれる。

　倒錯していて、ほとんどヘンタイとしか思えないが、ウェーバーによればこれこそが資本主義のもともとのエンジンなのだ。この無意味な現世では、こうしてひたすら労働にのめりこむ。贅沢しないし、節約ばかりしてるからしぜんとカネがたまる。無益なおしゃべり、怠惰、飲酒、

蕩尽，眠りこける，快楽に耽るなどありえない。そういうのは，救われることのない，かわいそうな奴のやることだ。たまった財の大きさが神の意にかなっているかどうかの尺度になるから，とにかくためこむ。余剰がでれば投資にまわしてさらにふやす。

　ここまできたら資本主義の完成だ。ウェーバーは，複式簿記の導入が資本主義発展の目じるしになるといった。ひとは罪深いので，うまれたときからとんでもない負債を神に負っている。せっせと利息を払っても，元金がちっとも減らないほどの負債。でもその収支を記帳することによって，目に見えるかたちで負債をどのくらい減らせたかがわかる，というわけ。「合理化」はこういうところからでてきたのだ。▶負債

■『プロテスタンティズムの倫理と資本主義の精神』★p.218

晩年のウェーバー（帽子をかぶった横向きの人物，1917 年）。
その顔をじっと見あげるのは，
『機械破壊者』などで知られる劇作家エルンスト・トラー。
この翌年の 1918 年，ドイツ 11 月革命がおこり，
トラーはバイエルン地域の蜂起を主導。
バイエルン・レーテ共和国を宣言し，内閣首班の座についた。
だが革命政権はすぐに倒され，トラーは国家転覆の罪で起訴される。
ウェーバーはトーマス・マン，ロマン・ロランら作家たちとともに
裁判でトラーを擁護し，減刑に尽力した

イマニュエル・ウォーラーステイン

Immanuel WALLERSTEIN (1930-)

　資本主義を「長期波動」で説明し，そのひとつひとつの波がそのとき
の覇権（＝中核）国をあらわすという「**世界システム**」論を提唱。およ
そ80〜100年の周期で資本主義の覇権（中核）国が交替し，波のうねり
がその興隆と衰退をしめす。1番目の覇権国はスペイン・ポルトガル，
2番目はオランダ，3番目はイギリス（産業革命時），4番目もビクトリ
ア朝時代のイギリスがつづく。そして5番目はアメリカである。

　ということは，現在アメリカは衰退期にあって，6番目の波（つぎの
覇権国）が登場する段階に差しかかっているというところだろうか。つ
ぎはいったいどこが覇権国になるのだろうか。

　また，「世帯」の重要性を指摘したのもかれである。いわゆる工業プ
ロレタリアートなどというものは，じつは先進国のごくわずかな人口
層にしかあてはまらない。世界ではまだまだ農村を背景にしたインフ
ォーマルな雑業層が圧倒的多数だ。つまり，正規に働き，その所得のみ
で家族を養い，再生産をおこなう層などというのは，いまだにきわめて
少数派であるということだ。▶インフォーマルグループ，**都市／農村**

インドネシア・ジャカルタ，ゴミ拾いをしてはたらく少年。
こうしたインフォーマルな雑業がいまだ世界の「主流」である（©Thehero）

アーヴィング・ゴフマン　Erving GOFFMAN (1922-82)

　シカゴ大学出身。アメリカ社会学会の会長をつとめた。現代社会学に多大な影響。『行為と演技』では，人びとの日常をすべて演技＝お芝居とみてみたらどうだろうかという視点で社会分析をおこなった。

　舞台は神聖であり，そのうえで人びとは役者となり，役＝役割を演じつづけている。どこにあってもどの場面でも，役になり切っている。会社にいけば，上司にたいし「部下」という役を演じ，デパートに入れば，店員にたいし「客」としてふるまう。病院にいけば，医者にむかって具合の悪い患者の「ふり」を一生懸命演じるだろう。家族のなかでは，親にたいし子どもの，あるいは子どもにたいし親の，あるいは兄にたいし妹の，弟にたいし姉の。逆にいえば，デパートに入って，「これから万引きするぞ」とでもいうようにあたりをきょろきょろみまわすなど，「不審者として」ふるまう者はいないだろう。だれしも商品を買う準備のある，「ほかならぬ客として」ふるまう。

　こうやって，お互い役割を演じあって，必死に日常，ひいては社会を支えあっているということだ。そうしなければ秩序が壊れてしまうから。このように，**社会というものはじつはとても脆弱だ**というのが，ゴフマンがいいたかったことである。

　『儀礼としての相互行為』はその儀式ヴァージョン。社会は儀式で支えられているというもの。たとえばあいさつは，人びとが毎日なにげなくする儀礼行為のひとつ。「おはよう」とあいさつしたら，「おはよう，気持ちのいい朝だね」と返すのがパターン。そこで「Fuck！」と返してみる。なにが起こるだろうか。

　ゴフマンは，日常というものが，必死で支えられねばならず，侵されてはならない神聖性をもっていると指摘した。映画『トゥルーマン・ショー』のように，くだらない日常なら，ふとやめてみたっていいはずなのだが。▶シカゴ学派

■『儀礼としての相互行為』『行為と演技』『アサイラム』
🎬『トゥルーマン・ショー』

コント，コンドルセ，サン＝シモン
COMTE, CONDORCET, SAINT-SIMON

　フランス革命の成果は，結局はブルジョア派に簒奪された。これにより**「市民社会」という擬制**ができあがった。市民社会というと，なにかいいもののように思われがちだが，よく考えてみるとそうでもない。国家／市民社会という関係は，統治する者／統治される者という関係である。国家だの市場の不備を「補完」することが市民社会の重要な役割だ，とかいう議論があるが，これもとどのつまり，さきに国家や市場が「主」としてあって，市民社会はその「従」の役割，ということだ。

　そして，フランス革命以来の「市民社会」の擬制には，統治される側が「議会に代表を送る」ことで，統治する側を入れ替え可能だという原理が存在する。あなたの一票が世界を変える！　この一言で，いままで統治される一方であった者が，「統治する側にまわる責任」という幻覚に夢中になる。さて，どうするか。だれにいれるか。このわたしの一票が世界を変えるかもしれない。その解答——統治の完成に必要な一票——を，一票の持ち主じしんに得心させるために必要となった知＝学問が社会学だ。

　オーギュスト・コント（1798-1857）やニコラ・ド・コンドルセ（1743-94）は，その意味で社会学の創始者である。革命によって結果的にできてしまった市民社会とはなにか，どんな構造や機能を持っているのか。この社会はどのような方向にすすむのか，あるいは，すすめねばならないのか。効率的で，合理的で，科学的な実証にもとづいて検証されねばならない。社会学はだからすぐれて自己自身，つまり近代市民社会についての自己反省の学だといわれるゆえんである。

　コントは世の中が軍事的→法律的→産業的に発展するとし，知識もそれに応じて，神学→形而上学→科学というふうに発展せねばならないと説いた。のちには人類教などというものを考えだす。コンドルセは先行きを計算するための社会数学を構想し，投票のパラドクス（多数決

で二つ以上の選択肢があるばあい，堂々めぐりになってしまい，投票結果が計算しきれないという仮説）などを発見した。アンリ・ド・サン＝シモン（1760-1825）はユートピア社会主義者だが，産業者（エンジニア）が社会を統率するという構想をいだく。みな数理的で工学的，理系的なのが特徴。3人あわせて，社会学の負の起源といえるかもしれない。

【左から】コントの胸像（アントワーヌ・エテックス作，写真©Alexandre Moatti），
コンドルセの石像（ピエール・ロワゾン作，写真©Jastrow），
サン゠シモンの肖像（シャルル・ボーニェ画）

パーシー・ビッシュ・シェリー

Percy Bysshe SHELLEY（1792-1822）

　ロマン派の詩人。ここではシェリー本人より，かれをとりまく状況を紹介しておこう。妻は，かの『**フランケンシュタイン**』の作者メアリー・シェリー。その父ウィリアム・ゴドウィンは元祖アナキスト，そして母メアリ・ウルストンクラフト・ゴドウィンは元祖フェミニスト。かれらの娘とソウルメイトであったシェリーが，どのような思想のもちぬしであったかは推して知るべし。

　このシェリーだけでなく，ワーズワース，コウルリッジなどロマン派の詩人たちが**革命派**であることは，あまり知られていない。ワーズワースは産業革命＝文明を拒んだ生活を夢み，政治パンフレットなども発行した。コウルリッジは私有財産を廃した共同体建設を「新天地」アメリカのサスケハナにもとめた。大革命の理念が裏切られ，あらぬ方向にねじまげられ，べつなものにされていくなか，ロマン派詩人たちは自然状態を理想化し憧憬する。自然から霊感をえて，未開人，子ども，大地や大気や動植物（およびそれらの総体）を作中でたたえるのもかれらの特徴だ。

　ロマン派は総じて「弱者」として，現実から目をそむけ，価値決定，態度決定することなく，うだうだ夢想する者とみられがちだ。ドイツ・ロマン派もそう。そういう態度はイローニッシュともいわれる。一見なよなよよとしたそのあり方は，雄々しいマッチョからすれば否定されるべきものとしてある。しかしそれは「現在」や「現実」，絶対的なものの強権・圧制からつねに逃れでようとする運動として捉えられうる。そしてその源流は詩人ウィリアム・ブレイクに連なり，その詩や詩画集は**ランターズ**（喧噪派，道徳クソ食らえ派）の革命的伝統を引き継いでいるのである。▶革命，詩人

マイク・デイヴィス

Mike DAVIS (1946-)

　プロレタリアジャーナリズムの感性をもって世界を分析。都市論『要塞都市 LA』（原題は City of Quartz：水晶の都市）では，新自由主義のユートピアたる都市ロサンゼルスを縦横無尽に，ジオグラフィックな視点と階級的視点を交差させて語った。シカゴ学派の人間生態学を刷新させ，空間という問題を抽象でないかたち——階級闘争と地勢，地政，地理をもとに——で浮かびあがらせた功績はおおきい。ほかにも，イギリスのヴィクトリア朝帝国主義とエルニーニョ／ラニーニャ（など長期的な海洋変動にもとづく自然現象）とをアクロバティックにむすびつけつつ飢餓を論じたり，「鳥インフルエンザ」の感染爆発を，あるいは「自動車爆弾」の誕生の経緯を，その政治性とともに唯物的に分析したりしている。テーマのたて方が斬新かつ肉厚，しぶい仕事だ。かれの著作をひもとけば，つねに**階級政治**を手ばなさない元工場労働者，元トラック運転手，アメリカン・ニューレフトにいつでも出会える。▶**階級**，

シカゴ学派

■『要塞都市 LA』『スラムの惑星』『自動車爆弾の歴史』

ロサンゼルスのダウンタウンには金融機関のガラス張りオフィスが軒をつらねる。
「水晶の都市」にはいくつの色，いくつの顔があるのだろう？ （©Nikku）

ジョルジュ・ディディ＝ユベルマン

Georges DIDI-HUBERMAN（1953-）

　フランスの美術史家・哲学者。とても奇妙なところから美術でも歴史でも哲学でも入っていって，斬新な視点を提供。不注意にしていると見逃しそうなものや，グニャグニャしたものが好きな感じである。

　アウシュヴィッツをめぐって，『ショアー』を撮った映画監督クロード・ランズマンらとのあいだでおこなわれた論争は有名。ランズマンが「アウシュヴィッツを想像するな，想像できるなんて考えるのは犠牲者にたいする冒瀆だ」といったのに対して，ディディ＝ユベルマンはこう応じた──「たとえ想像して気が狂ったとしても，とことん想像しよう，どんなわずかな痕跡からでも，想像しうるかぎり徹底的に想像しよう。想像不可能なことをも想像しよう」と（『イメージ，それでもなお』）。2015年に公開された『サウルの息子』（監督：N・ラースロー）は，ユベルマンのこういう主張に触発されてつくられた作品。

■『残存するイメージ』『イメージ，それでもなお』

アビ・ヴァールブルクの「ムネモシュネ・アトラス」（記憶とイメージの地図帳）。
ディディ＝ユベルマンの思考の源泉のひとつがここにある

エミール・デュルケム　Émile DURKHEIM（1858-1917）

　フランスの社会学者。現代社会学の方法を確立。**タルドとのライバル関係**に注目。著作はたくさんあるが、『自殺論』や『社会分業論』、『社会学的方法の基準』、『宗教生活の原初形態』などが有名。

　「社会的事実を**モノとして**あつかえ」といった。立場としては、ウェーバーの「社会名目論」にたいして「社会実在論」などといわれる。ウェーバーは、「われわれは個人のあつまりを名目的に社会と呼んでいるのにすぎない」といった。これにたいしデュルケムは、「個＋個＋個＋個＋……≠社会，つまり社会とはいろんな個を寄せあつめた総和でなく，それを超えたなにものかだ」といった。

　デュルケムは社会の実在性のありかを，おもに「**集合意識**」にもとめた。「集合意識」というのは，かれとほぼ同時代人のフロイトの「無意識」にきわめて近い。その肝は，個人の意識しないところで人びとをしばるものがあるということだ。そのように「社会」は「個人」とは離れて，もしくは「個人」とは別の次元で存在するという。

　デュルケムいわく，「観察が長期間にわたらないかぎり，同一の社会における自殺の数はほぼ一定している」──『自殺論』では，今年度1万件であった自殺者数が，翌年度にいきなり5万件に急増したり，200件に激減することはないとされる。自殺率は，個人に帰される自殺の原因（失恋，借金，失業……）ではなく，その社会状態によって決定されるのだ。つまり，自殺とはすぐれて社会的な現象であり，個々人の動機などをさぐっても解明できないという。これをデュルケムは，X→(t)→Yと函数的にかんがえた。Xに宗教，職業，性別，家族，政治，地域といった変数を代入すると，媒介変数t（＝集団の凝集性）を通して自殺率Yが自動的に決定されるというのである。

　日本では1990年代後半以降，毎年3万人台（昨今はじゃっかん低下傾向にあるらしい）という「安定した」数をキープしているわけだが，このことの意味を考えてみなければならないということなのだ。▶ガブリエル・タルド，マックス・ウェーバー

■『社会分業論』『宗教生活の原初形態』『自殺論』★p.219

ジル・ドゥルーズ Gilles DELEUZE（1925-95）

　ベルグソン，ヒューム，スピノザ，ニーチェ。1950〜60 年代にかけて，こうした哲学者たちの特異な肖像をたくみにえがいたドゥルーズは，フェリックス・ガタリとの初の共著『アンチ・オイディプス』(1972) で，ごく端的に**革命的であること**を語るようになる。フランスで 1968 年におきたいわゆる「5 月革命」の余燼がくすぶるなかで，反抗や蜂起を心の問題にきりつめる精神分析がはびこっていた。ドゥルーズ＝ガタリは『アンチ・オイディプス』で，そうした胡乱な解釈の「破壊」をよびかける。**批判から破壊への**，哲学の使命の決定的な転換である。

　以後，ふたりは『千のプラトー』(1980) や『哲学とは何か』(1991) で独自の概念をねりあげ，資本や国家のくびきの破壊をめざす。だから，A・カルプも強調するように，ドゥルーズを創造や結合という積極的な面からのみとらえてはならないだろう（『ダーク・ドゥルーズ』）。「明るいドゥルーズ」は，たしかにモンスターをつくりだす。あたらしい結合によって，あたらしい運動がうまれる。だが，その創出のプロセスにおいて，モンスターは既存の権力にかいならされてしまう。重要なのは，権力に捕獲された世界そのものを破壊する「**暗いドゥルーズ**」であり，絶対的な否定性のなかにたちあらわれるエイリアン（＝外国人，狂人，疎外された者）としてのわれわれである。エイリアンたちは何を欲望し，どのような共同性をいとなむのだろうか？　まずは最良の入門書でもあるインタヴュー集『記号と事件』で，彼じしんのことばに耳をかたむけてみよう。

■『記号と事件』

　DVD『ジル・ドゥルーズの「アベセデール」』では，動物，飲酒，教養，欲望 etc., さまざまな概念について問われ，たのしげにこたえるドゥルーズに出会える

フロラ・トリスタン

Flora TRISTAN (1803-44)

　初期社会主義者，女性解放運動の先駆。スペイン系ペルー人の父とフランス人の母をもつ。19世紀初半パリ，富裕な家にうまれたが零落，頑迷で保守的，のんだくれて賭け事に耽るバカ男と結婚させられ，家をでて貧民街での極貧生活。そんななか，サン＝シモン主義者たちの集会に参加したことをきっかけに《新社会》への共鳴とヴィジョンを獲得，その自己認識が「選民」から「賤民」に。代表的な著作『労働者連合』のほか，秀逸なルポルタージュや独創的な小説『メフィス』も書く。表題は悪魔メフィストフェレスを略したもの。「だから，彼にはいささかの悪魔性がなければならない。今日では階級闘争の用語としてきわめて明確に定義されるこの「プロレタリア」という言葉も，当時はまことにロマンチックで陰々滅々たる響を持っていた。それは非人であり，徒刑囚であり，カルボナリ党員であり，芸術家であり，再生の主であり，イエズス会士の敵であった。彼と美しいスペイン女との出会いから，世界をあがなう霊感をうけた女性がうまれるであろう」（ジャン・カスー『1848年』）。フロラはこれら「賤民」たちの救済にプロレタリアの女メシアを待望。ちなみに画家ゴーギャンは彼女の孫。

■『メフィス』『ペルー旅行記 1833-1834』

フリードリヒ・ニーチェ

Friedrich NIETZSCHE（1844-1900）

19 世紀末の哲学者。よくも悪くも誤解され，問題でありつづけている。というよりも世の中がニーチェを誤解しかしようとしなかった。そもそも本人がオレのことなどだれにもわからないといったが。

キリスト教道徳にひそむ**ルサンチマン**の思想を批判。ルサンチマンとは怨恨のこと。人を羨ましがったり怨んだり，クヨクヨジメジメして，ひとりではなにもできないから群れ，怨んだ対象を引きずりおろす。キリスト教の善人づらの背後にそういうのがあるとみぬいて**畜群**といった。奴隷根性。いまなら社畜やネット右翼だろうか。最近はこういう発想がうけて，自己啓発などに剽窃されている。都合よくねじまげられたものだ。

ニーチェの思想は**ニヒリズム批判**である。19 世紀末ともなれば，もうだれもほんとうには超越的なもの＝神など信じていない。というか，イエスはとっくの昔に死んでる。それなのに，キリスト教はあいかわらず神様がいるとデッチあげ，価値の中心にまつりあげている。そこでニーチェはいった。「神は死んだ」。そりゃだれだってわかってはいるけど，ほんとのこといっちゃまずい。死んでるとなると，昔からやってきたこと，いまやっていること，この先もやるであろうことが無意味になってしまうからだ。しかし生とは無意味や無根拠のうえになりたつものでしかない。それをきっちり肯定することがたいせつだ。

『ツァラトゥストラはこう言った』では —— こういう話も最近はすぐ自己啓発にもっていかれるのだが —— ひとは，はじめは「らくだ」，つまり重荷を背負って砂漠をあゆむ。その砂漠のなかで，なんでこんなことをやっているのかと，はたと気づいて「獅子」になって吠えまくる。つまり自由をえる。しかし自由になっただけで，だからどうだというのか。ということで，最終的には「**子ども**」になって無から有を創造するのだ —— これがニーチェによる「無」の肯定である。▶ニヒリズム

■『ツァラトゥストラはこう言った』『道徳の系譜』★p.220

アントニオ・ネグリ　Antonio "Toni" NEGRI (1933-)

　イタリア出身の哲学者・思想家。近年は反グローバリゼーションの旗振り役だが，1970年代は**アウトノミア運動**の理論的リーダーだった。アウトノミアの多産性は特筆すべき。自由ラジオ（海賊放送），アウトレディティオーネ（自発的値引き・万引き），スクォッティング（空き家占拠），「家事労働に賃金を」など，いまでも有効ではないだろうか。こういう運動が広がるのを恐れたイタリア政府は超過激集団「赤い旅団」との関係をデッチ上げて，ネグリを逮捕，投獄した。ところが獄中で国会議員に立候補して当選，そのチャンスを利用してフランスに逃亡，そのままいつく。

　クリエイティブなマルクス主義者。ただし，近年はもっとラディカルな人たちからは嫌われているようだ。なぜなら憲法制定権力とかいって国家を受容してしまっているから。

　多国籍企業がはりめぐらす人・モノ・カネのネットワークが世界を支配するというイメージを打ちだした。新時代の〈**帝国**〉概念だ。〈帝国〉というのは，地球にとりついたネトネトの化け物の触手（＝ネットワーク）が，地球やそこに住んでる人たちから養分を吸ってぶくぶく肥え太るイメージで考えてみるとわかりやすいかもしれない。そしてネグリは，帝国支配のオルタナティヴとして，コモン（共有地），マルチチュード（有象無象），ベーシックインカムなどの可能性について語った。コモンというのはタダにすること，あるいはタダのものを広げていくこと。マルチチュードはグローバル企業のネットワークに乗れない，乗りたくない雑多な人びとのこと。この人たちがネットワークを混乱させ寸断するという未来を語った。2008年，洞爺湖サミットへの抗議活動の一環で日本に来るはずだったが，日本政府が邪魔をして実現しなかった。2012年にやっと来た。▶グローバリゼーション，ベーシックインカム

■『〈帝国〉』

ハインリヒ・ハイネ

Heinrich HEINE(1797-1856)

　ロマン派の抒情詩人。作曲家シューマンや革命家マルクスとも親交。
『歌の本』、『ドイツ冬物語』などの詩集のほかに、『ドイツ古典哲学の
本質』、『流刑の神々』なんて本も書いた。つぎの詩は 1844 年，シュレ
ージェン（シレジア）で**織工が蜂起した**のに呼応して書かれた。

Die schlesischen Weber（シュレージェンの織工）

Im düstern Auge keine Träne,（暗い目に涙もなく）

Sie sitzen am Webstuhl und fletschen die Zähne:（織り機にすわって，歯をくいし
　　ばる）

Deutschland, wir weben dein Leichentuch,（ドイツよ，俺たちはあんたの棺のお
　　おいを織ってやる）

Wir weben hinein den dreifachen Fluch -（三重の呪いを織りこんでやる）

Wir weben, wir weben！（織ってやる，織ってやる）

Ein Fluch dem Gotte, zu dem wir gebeten In Winterskälte und Hungersnöten;（ま
　　ず神に呪いあれ。寒さと飢えのなか，あんたに祈ったのに）

Wir haben vergebens gehofft und geharrt,（待てど暮らせどムダだった）

Er hat uns geäfft und gefoppt und genarrt -（あいつはさんざ俺たちをからかって，
　　なぶりものにしやがった）

Wir weben, wir weben！（織ってやる，織ってやる）

Ein Fluch dem König, dem König der Reichen,（王に呪いあれ。金持ちどもの王）

Den unser Elend nicht konnte erweichen,（俺たちの惨めさなんかどうでもよく）

Der den letzten Groschen von uns erpreßt（なけなしの金までゆすりとり）

Und uns wie Hunde erschießen läßt -（俺たちを犬のように撃ち殺しやがる）

Wir weben, wir weben！（織ってやる，織ってやる）

Ein Fluch dem falschen Vaterlande,（いつわりの祖国に呪いあれ）

Wo nur gedeihen Schmach und Schande,（ここでは，汚辱と恥辱だけがはびこり）

Wo jede Blume früh geknickt,（どんな花もすぐしおれ）

Wo Fäulnis und Moder den Wurm erquickt -（腐敗堕落に蛆がはいまわる）

Wir weben, wir weben！（織ってやる，織ってやる）

Das Schiffchen fliegt, der Webstuhl kracht,（杼がいきかい，織機はうなりをあげる）

Wir weben emsig Tag und Nacht -（俺たちは昼も夜もせっせせっせと織る）

Altdeutschland, wir weben dein Leichentuch,（ふるいドイツよ，俺たちはおまえ
　　の棺の布を織ってやる）

Wir weben hinein den dreifachen Fluch,（俺たちは三重の呪いを織りこんでやる）

Wir weben, wir weben！（織ってやる，織ってやる）

ジグムント・バウマン　Zygmunt BAUMAN (1925-2017)

　イギリスの社会学者。ポーランド出身。ワルシャワ大学で教鞭をとっていたが, 政治的理由からポーランドをでて, イギリスへ。おもにモダニティ (＝近代性) ということをテーマに展開。前近代から近代への移行は, 支配者が「猟場番人」から「庭師」のような者へと変わったことに特徴があるという。前者が番人として管理するのは飼いならされない動物であり, そういう動物＝人間を型にはめたり, 加工できるなどと信じてはいない。だが後者, すなわち近代にあっては, 人間をふくめてその環境を「デザインする」可能性をいつも考えている。また前近代は, 支配者は立法者として, つまり法を創設する者として (あるいは, みずからが法として) ふるまうが, 近代では, 法なり知識なりを解釈しうる者こそが力をえる。これは近代においては, **専門家集団＝行政官僚**が権力の中心になることを意味する。バウマンのおもしろさは, こういう考察の妙にある。

　グローバリゼーション以降の過程を「リキッド・モダニティ」, 世界のすべてが液状化するようなあり方としてとらえた。マルクス＝エンゲルスの『共産党宣言』にでてくる, "Alle festen eingerosteten Verhältnisse mit ihrem Gefolge von altehrwüldigen..." (「かたく形をなすあらゆるものが霧消してしまう」) という有名な言葉にことよせたもの。資本主義はそれまであった関係を壊して不確実かつ不安定にしていく過程であって, その果てに現今のようなリキッド・モダニティが到来する。アメリカなどでは, 福祉国家的なあり方が解体, そのあと消費社会が到来し, 完全雇用を放棄した国家によって, 失業者や貧困者, つまり「消費者たりえない者」が監獄にブチ込まれる事態に。バウマンはこのことにいちはやく社会学者として警鐘を鳴らした。東欧におけるユダヤ人であるがゆえか, 『ホロコーストと近代』という著書もある。▶官僚制, 近代, グローバリゼーション, 刑務所 (的なもの), 法

■『リキッド・モダニティ』

ヴィルフレド・パレート　　Vilfredo PARETO (1848-1923)

　イタリアの社会学者・経済学者。「**パレート最適**」なる資源配分の概念を提案。ある社会状態とそこでの資源配分を想定したとき，全員が満足できる状態はむずかしく，かならずだれかの満足度＝効用が犠牲となる。そこで，すくなくともだれの効用も低下させることなく，ひとり以上の効用を高めることができれば，その社会は「改善」されたことにしよう。さらに，これ以上はいっさい改善できない，というところまでくれば，その社会は「最適」の状態となる。できるだけ多くの人が幸福を享受する「最大多数の最大幸福社会」というわけだ。

　しかしこの考え方には，その社会状態が所与のものとされてしまっていること，ようするに時間の概念がぬけおちていること，またそこにいたるまでの社会のメカニズムがまったく等閑に付されていることなどなど，問題点がたくさんある。A氏とB氏がいて，前者が年収10億円，後者が300万円というばあいを考えてみよう。両者ともももう少し収入を上げたいと思ってがんばったところ，A氏は年収10億1千万，B氏は360万になったとする。それで双方満足して，A氏もB氏もなんら犠牲にしなかったのだから，これでパレート最適，万々歳……はて，なにかおかしいのではないか？　一歩まちがえればファシズムだ。じつはパレートは晩年ファシズムに近づいていった。また，歴史はエリートの交替のくりかえしにすぎないとするヤバい歴史観を提示しもした（「エリートの周流」）。

　ところでこの「パレート最適」という言葉，ながらく使われてきたのだが，最近になってある修正がほどこされつつある。こういう設定で「最適」というのはいいすぎなんじゃないかというので，「効率性」という言葉が使われるようになってきた。▶ファシズム

ミシェル・フーコー

Michel FOUCAULT（1926-84）

　フランスの哲学者・歴史家。近年は教科書にものるようになったが，じつはかなり過激な人である。

　異物の存在をとりこぼさない歴史を考察。なぜなら異物はその社会体がどのようなものであるかということを浮かび上がらせる格好の素材だからだ。そのさい，異物にはたらく権力を微細につかむことによって，**その権力がどんな形をしているのか**をあぶりだし，最終的に，**その権力はどのようなもののなかにあってどのように作動しているのか**を解き明かすのである。認識，感覚，思考の方法が，いつでもどこでもおなじであるとは考えてはいけない。違ったものを考えるときは，やっぱり違った方法で考えないといけないのだ。そういうことをかれは考えた。かれは見えているものをもっとよく見えるようにする。見えないものを見えるようにする，ではなく。

　つるつる頭の独特な風貌はだれしもが見たことがあるだろう。『監獄の誕生』，『言葉と物』，『性の歴史』などが有名。繰りだしてくるものの見方や概念はいろいろな意味で有用。

　彼氏が入っている刑務所に，激励のため，がんがんロケット花火を打ち込むなどした。さいごの職場はザ・フランスの大学，コレージュ・ド・フランス。1978 年，二度めの来日時は，禅寺で坊主のかっこうをさせられた。嫌だったにちがいない。▶**主権／権力**，パノプティコン

■『監獄の誕生』★p.221『言葉と物』『狂気の歴史』『性の歴史Ⅰ〜Ⅲ』

シャルル・フーリエ

Charles FOURIER（1772-1837）

　ユートピア社会主義者。ふつうに考えれば，とても奇妙な世界を考え
ついて，それを理想社会として実現させようとした。著作は『四運動の
理論』『産業者的・協同社会的世界』『愛の新世界』など。海をレモネー
ドにしてしまえ。戦争ではなく美食対決にしよう。反ライオンに反ハゲ
タカ。ウェスタ巫女団。1620人が一堂に住み，そこにいれば衣食住は
保障される居住と生産の単位ファランジュなどなど。

　人間は「情念」という流体エネルギーのようなものをもっている（こ
れを「欲望」というと，なにか今風でフーリエの持ち味が殺されてしま
いそうだ）。味・触・視・嗅・聴の「感覚的情念」。友情・野心・恋愛・
家族愛の「愛情的情念」。そして密謀・移り気・複合といった，配分と
規制にかかわる「三情念」。フーリエはこれらさまざまな「情念」を上
手に組み合わせて，社会を調和的に動かしていこうと考えた。たとえ
ば，人間だれしもゲームで勝とうとする。そこで「密謀」情念を満足さ
せるべく，チームをつくってライバルどうし争わせ，生産をゲームにし
てしまおう。「移り気」情念を活用するなら，仕事は2時間まで。人間
はおなじことを2時間以上やると飽きる。それ以上は苦痛だ。2時間働
いたらほかのことをしたほうがいい。そしてなんにせよ楽しくやるに
はエキサイトすることが大事だ。ワクワクが「複合」情念を満足させ，
さらなるエネルギーがうまれる。

　働くことは苦痛だ。この苦痛を耐えるのではなく，苦痛の原因である
労働自体を遊びや快楽に変えようとする。フーリエは徹底的に**反禁欲
的**なのだ。快楽を増幅させることにしか関心がない。

　『愛の新世界』は，弟子たちにさえ禁書あつかいされた。保守的な恋
愛観に反したからだろう。毎日結婚する。日々何人もの人間と結婚す
る。複数と結婚する。乱婚する。もちろん相手は男女を問わない。そう
いう花咲き乱れるクィアな世界をえがいたのだ。こんな性愛にかんす
る「過激」な構想が，とうじの世間の常識に抵触してスポイルされた。

■『四運動の理論』『愛の新世界』 ★p.221

ピエール・ブルデュー　Pierre BOURDIEU (1930-2002)

　フランスの社会学者。コレージュ・ド・フランス教授。情況にたいする発言を果敢におこない，グローバリゼーション，新自由主義を攻撃しつづけた。フランス 1995 年ゼネストでも現場に立ち，移民や失業者問題にたいしても積極的に発言した。金ではないモノが資本になるという「**文化資本**」の概念は有名。文化資本とはたとえば，友人の選び方，服装，言葉づかい，挙措，服装など。それらがある社会階層への参入の条件になるという。またそうした社会への参入によって**ハビトゥス**が形成される。ハビトゥスとは，習慣化したその人の性向のことだ。趣味，嗜好までふくみ，無意識の形成にまでそれはかかわる。ブルデューは，ハビトゥスが階級・階層にむすびついていることを「再生産」として論じた。ワーキングクラスの子どもは将来ワーキングクラスに，ミドルクラスの子どもはミドルクラスに，アッパークラスの子どもはアッパークラスになる傾向がつよい。その視点から「教育」を分析した。ようするに，進学にかかわる階層性は，階層的に固定化されている。このような観点から，教育のみならず，文学，芸術までをも分析の対象とした。

▶階級，グローバリゼーション，新自由主義

■『再生産』

1995 年 11 月，フランスのアラン・ジュペ首相が増税・年金受給資格引き上げ案を
議会に提出すると，たちまち全土に反ジュペの気運がもえひろがり，
12 月以降パリを中心に交通機関が大規模なストを決行。
ブルデューは多くの市民とともにこのストを支持した

ヴァルター・ベンヤミン

Walter BENJAMIN（1892-1940）

　土星のひと。土星というのは，古代哲学や占星術などではメランコリー気質のひとの星だ。ベンヤミンの思考はこのメランコリーからやってくる。メランコリーというのは，喪に典型的にあらわれる。なくなってしまったもの，もとにもどらないものへの哀惜といとおしみの感情。ベンヤミンの批評にたいする態度は，この過ぎ去ってしまったものへの継続的な喪の作業だといってもいいのかもしれない。かれは死者や廃墟をまえにたちつくして茫然としている。なんとかもういちどそれらを再生させたり，組み立てたりしようと努力するのだが，たぶんそれは永遠にかなわない――といいつつ，こうして壊れたもの，なくしたものを惜しんだりしてるかと思いきや，せっかく組み立てたものを，あっけなくぶち壊したりするからやっかいだ。アレゴリー的思考。なかなか意味に到達させてくれない，まとまらなさ，とっちらかし，まじりあった，不透明で，これはなんだともいいがたい事物の側面に関心をそそぐ思考のあり方は独特なもの。ようするにベンヤミンは**幼児**なのだ。かれについての思索は，まだまだこれから。

　フランクフルト学派の社会学者・哲学者。**アナルコ・マルキスト**。プルースト，ボードレールの独訳者。ユダヤ人。ベルトルト・ブレヒトの友人。ナチスを逃れドイツから亡命，その途上，ピレネー山中で服毒自殺。『パサージュ論』，『ドイツ悲劇の根源』，『暴力批判論』，『複製技術時代の芸術』などおおくの仕事をした。いまもって文学，批評，哲学，社会科学，美学，人類学などに切実な影響をあたえている。なお，フランクフルト学派には，有名なところでアドルノ，ホルクハイマー（『啓蒙の弁証法』），フロム（『自由からの逃走』），マルクーゼ（『エロス的文明』）がいる。ほかにもウィットフォーゲル（『オリエンタル・デスポティズム』），ボルケナウ（『封建的世界像から市民的世界像へ』）もかかわった。いっしょにおぼえておこう。▶暴力

■『ヴァルター・ベンヤミン著作集』『暴力批判論』★p.222

カール・マルクス

Karl MARX （1818-83）

　革命家。共産主義者。資本主義の社会は，生産手段をもっている人と
もっていない人にわかれる。すなわちブルジョアとプロレタリアート
という二大階級。ブルジョアというのは資本家とイコール。資本，つま
り元手＝大きなお金。資本家はすでにたくさん持っていても，さらに増
やそうとするがめつい人たち。この元手を使って土地，機械などの生産
手段を購入し，この生産手段と，これまた購入した労働力を結合させ，
モノやサービスをつくって売る。かたや，労働力をもっているのはプロ
レタリアート＝労働者階級だ。

　労働者は労働力しか売るものがないから労働するしかない。資本家
はカネを増やすために儲けをださないといけない。儲けをだすのに，い
ちばん手っ取りばやい方法はなんだろう。原材料を安く仕入れるとか，
とにかくたくさん売るとかいろいろあるが，もっとも簡単なのは労働
力の値段をおさえること。

　労働を掠めとる。たとえばある労働者が，1日に必要な生活資料をえ
るのに，2時間働かなきゃいけないとしよう。これは逆にいうと，労働
者は2時間働けば生活していけるということだ。しかし，じっさいは
資本家は8時間働かせて，あまった6時間分の労働をもっていってし
まう。これを「搾取」という。搾取された価値分が剰余価値。

　けれど，こんなことをしていると，労働者はいつまでたっても豊かに
なれない。資本主義社会とは資本家が牛耳る社会である。だから労働者
階級が資本主義を打倒し，権力をにぎって労働者中心の国をつくる。こ
れが共産主義革命。▶搾取／収奪，生産／再生産，コミュニズム

■『資本論』★p.222『ルイ・ボナパルトのブリュメール18日』『経済学批判要綱』『共
　産党宣言』（エンゲルスとの共著）

マルセル・モース

Marcel MAUSS（1872-1950）

　人類学，民族学者。エミール・デュルケムの甥であり，H・ユベール，R・エルツなどとともに弟子でもある（デュルケム学派）。そのごの文化人類学の展開におおきな足跡をのこす。レヴィ＝ストロースをはじめ，B・マリノウスキー，A・ラドクリフ＝ブラウン，E・エヴァンズ＝プリチャード，M・ミード，M・ダグラスなどなど，かれの仕事に影響をうけた学者はおおぜいいる。マリノウスキーは，モースの「贈与」概念に触発されて，トロブリアンド諸島の「クラ交換」を分析した。

　デュルケム学派だけあって，聖と俗から諸事象を探求する方法論を踏襲している。1925年に著された『贈与論』はつとに知られるところだろう。

　いっぽう，消費協同組合などをつうじた「経済」の再編を構想しその実現に尽力，政治的には**社会主義者**であった側面はあまり知られていない。フランス社会党の政治家ジャン・ジョレスの盟友でもあった。とうぜんこうした政治的実践にも，自身の人類学的視点が反映していたと考えていい。なお，ロシア革命，ボルシェヴィキには非常に批判的だった。モースはその意味でモラルエコノミー，すなわちモラルと経済が一致する地平をみていたといえる。急進的な改革では世の中は根本的には変わらず，むしろよくない影響をおよぼすと考えたのかもしれない。シュルレアリストのミッシェル・レリス，思想家ジョルジュ・バタイユ，画家の岡本太郎らとの親交も有名で，かれらにも少なからぬ影響をあたえた。最近では，D・グレーバーの記念碑的大著『負債論』も，モースの業績にすごく多くのものを負っている。▶**人類学，贈与，エミール・デュルケム**

■『贈与論』★p.223

ウィリアム・モリス

19世紀イギリスの社会主義者。詩人・工芸家。壁紙・織物などの室内装飾，印刷・製本，工芸，デザインを手がけた。鳥や花や蔓草がからまった「いちご泥棒」の紋様の壁紙など，だれしもどこかでみたことがあるのではなかろうか。

かれの理想とする社会は，バカみたいにはたらく人もいなければ，全然はたらかない人もいない，あたまの痛くなる頭脳労働者もいなければ，からだの痛くなる肉体労働者もいない社会。そこでは人民（民衆）芸術が花ひらく。それは生活が芸術であり，芸術が生活であるような世界。万人が芸術家中世たることを夢み，表現にはげむのである。ちなみに，モリスそのひとはゴシック中世の美を理想とした。

政治的には，議会制，漸進的改良主義を否定して，**階級闘争主義**の立場に立った。『ユートピアだより』では，ひとは市場というわけのわからないもののためにモノをつくるのではない。じぶんが，またしたしい他人が必要とするからつくるのだ。ではその報酬は？　と問われると，生きることそのもの，それでじゅうぶんじゃないか，と答える。なにも売り買いする必要はない。政府なんて軍隊・警察と裁判所をたしたようなもの，つまり暴力がその本質だとして廃止。かつての議事堂は物置に流用。

さて，そうなってみると，なにをどう表現し創造するのかが問題になってくる。せまいワンルームの部屋に住んで，バカみたいにはたらかされていては，なにもつくれない。現在の家屋は創造にはむいてない。ひとりにつき一アトリエを要求し，建築デザインのあり方から変えてしまおう。ひろびろとした，のびやかな空間で，思い思いにいろいろものをつくろう。むろん家賃はタダにして。ワンルームだの，四畳半だの，さっさと禁止。▶階級，人民

■『ユートピアだより』，小野二郎『ウィリアム・モリス』

ジャック・ランシエール　Jacques RANCIÈRE(1940-)

　フランスの哲学者。プラトンやアリストテレスにまでさかのぼって政治を根底から考えなおそうとした。そのさい、政治のはじまりは「**まちがえること**」だという。どういうことだろうか。いまあるものをそのまま維持するなどというのは政治でもなんでもなく、そんなものはただの統治行為でしかない。支配者が支配しやすくするために、現状を維持したいだけ、ということにすぎず、あるいは支配される側とて、そのままただいまあるものをいまあるように続けている、というだけの話である。つまりなにも変わらないことが変わらないままに続いていく。

　政治とはそこに、計算外の者が入ってくること、すなわち「計算まちがい」が起こっていなければ発生しない。たとえば、女性はながらく参政権をもっていなかった。女性は男性支配のなかでは計算外の存在だったわけだ。その女性が、参政権もないのに、参政権を獲得するため選挙に立候補することを表明したとする。それまでの通例からすれば、あるいは男性支配の社会の中では、女性が立候補する（しかも参政権もないのに）なんて、おおいに「まちがっている」ということになる。ここに政治がうまれる。ランシエールはこの「まちがい」から発する政治を、古代ローマのアウエンティススの丘の出来事を例にとって語っている。

　空気を読みすぎ、まちがわないようにすることだけが至上のこの日本社会においては、政治などじつは皆無である、というようにいえるかもしれない。

　ランシエールのこういう仕事は一貫しているようにみえる。『プロレタリアの夜』（邦訳近刊）は、労働者が詩人になるという「まちがい」をおかすことをおおいに肯定するものだ。あるいは『無知な教師』では、教育とは「教師がじぶんの知らないことを生徒に教える」という、ぶっとんだ「まちがい」をやらかすことが大事だという。　▶政治, 統治

■『不和あるいは了解なき了解』★p.224

ローザ・ルクセンブルク

Rosa LUXEMBURG（1871-1919）

　革命集団スパルタクス団をつくり，ドイツ革命のなかで蜂起したローザ。ここからドイツ共産党が創建される。レーニンのボルシェヴィキとは，理論的にも実践的にも，微妙かつ重要な点でいちいち対立。

　ローザは**マッセン（＝大衆）ストライキ**こそプロレタリアート固有の政治の発現とみて，ここにプロレタリアートの階級的成長があるとしたが，これは前衛党による指導ではなく内発性にもとづいた階級組織の自然成長を支持したからであった。この視点はドイツ革命における労働者・兵士のレーテ（＝評議会）の評価にそのままつながる。理論的には，恐慌の原因を過剰生産ではなく過少消費にもとめる視点をとり，「本源的蓄積」の永続体制による植民地収奪をするどく問題化した。この延長上に「**女性は最後の植民地**」という視点もでてくる。のちの第三世界論やフェミニズムにもおおきく影響。ポーランド出身だが，民族主義には反対の立場だった。社会民主党政府のもと，おなじくドイツ共産党の領袖カール・リープクネヒトとともに白色テロによって虐殺される。はらさねば，ローザの遺恨。革命家，マルクス主義希代の理論家。

▶**ストライキ／サボタージュ，第三世界，本源的蓄積，カール・マルクス**

■『資本蓄積論』『ローザ・ルクセンブルクの手紙』

ベルリンの壁の残骸にステンシルで描かれたグラフィティ。
上部に「私はテロリストだ」の文言

安部公房

とても独創的な作家。いまでもけっこう人気が高い。満洲出身。作品は寓話的であったり童話的であったりする。1950年代は共産党員だった。朝鮮戦争下，党オルグ活動の一環として，桂川寛（画家），勅使河原宏（映画監督・美術家）らとともに京浜工業地帯にはいり，詩サークルの組織化をおこなった。文化工作。かれはいわゆる「**工作者**」なのだ。

砂漠の穴に落ちて，そこにいた女とずっと住まねばならなくなるはめに陥った男の話（『砂の女』）や，からの段ボール箱のなかに入ってみたら出たくなくなって，そのまんま箱をかぶって都市をさまよう，ひきこもりの元祖みたいな話（『箱男』），あるいは，ひとさがしを頼まれた探偵がだんだんだれを追っているのかわからなくなり，さいごじぶんが追われることになった話（『燃えつきた地図』）などなど，奇妙な作品をたくさん書いた。実験精神にあふれる。あるいは，たぶん語の正確な意味でのメルヒェンに近いものなのだろう。『壁　S・カルマ氏の犯罪』で芥川賞受賞。

生涯にわたって演劇にも力を入れた。かんたんに車のチェーンを着脱させる装置をつくったりして発明家の相貌ももつ。そのむかし，高校生のころ，NHKの「訪問インタビュー」という番組で，シンセサイザーでヘンな音をつくったり，トイレットペーパーの芯で工作したりしているのをみて，その生活にあこがれたものだ。ノーベル文学賞候補にもあがっていたが，もらうまえに亡くなった。カフカやリルケ，シュルレアリスムなどの影響がつよい。

■『砂の女』『箱男』『燃えつきた地図』『壁』『水中都市・デンドロカカリヤ』★p.218

黒田喜夫

　戦後日本の詩人。列島派という戦後詩の系統につらなる。戦後詩の流派としては、『荒地』誌につどった荒地派と、『列島』誌に寄稿したこの列島派のふたつが有名だ。『荒地』はどちらかというとモダニズムでソフィスティケートされた知的な感じがするが，すこしばかり高踏的。『列島』は民衆性に足場をおき，民衆の表現というものを浮上させようとした。ヘタも作品のうちで，いささか泥くさい感じがするかもしれない。列島派は 1950 年代，政治的に日本共産党の主流派（所感派，親中国派）の影響をうけていて，中国の革命文化にならうところがあった。

　黒田は，じぶんがその出自である貧農と，そして飢餓をテーマに，戦前農村にあって，そこでみずからがおかれた境遇から，すなわち農家の次・三男，作男という観点から，日本の農村のあり方そのものに疑義の目をさしむけた。そして，そこからの疎外を詩に書いた。有名な詩としては「毒虫飼育」「空想のゲリラ」などがある。

　同世代の谷川雁（1923-95）もまた，戦後おなじように日本共産党で活動，炭鉱労働運動にかかわり，そのご離党したが，大正行動隊をつくって大暴れして名をはせ，紆余曲折のはて，大正鉱業退職者同盟をたちあげた。詩人の立場としては『荒地』に近いかもしれないが，よくわからない。べつにわざわざ位置づける必要もない。いっぽうで「サークル村」という文芸運動も展開。サークルという集団のあり方の可能性を追求した。

　両者は「農村という原点の破壊」と，「農村という原点が存在する」という点で微妙なコントラストをえがく。

■黒田喜夫『燃えるキリン　黒田喜夫詩文撰』，谷川雁『谷川雁セレクション 1　工作者の論理と背理』

白土三平

Sanpei SHIRATO（1932-）

　マンガ家。『忍者武芸帳』『サスケ』『カムイ伝』『ワタリ』など忍者マンガで一世を風靡。劇画の創始者。『ガロ』を創刊。若いころは紙芝居や貸本マンガも手がけた。父親はダダやシュルレアリスムの影響色濃いプロレタリア画家の岡本唐貴。唯物史観マンガなどといわれるが，そうかんたんには定義できない。「忍者」というフィギュアを最大限拡張した。神出鬼没，変幻自在，謎の巻物をもち，新種の武器を考案し，覆面スタイル。幻術，仙術にたける。手裏剣を飛ばし，煙に巻き，屋根裏にひそむ。動物をつかい，草木や薬にくわしい。忍者は武士なのだろうか，農民なのだろうか。秘密と謎をたずさえた，永遠のパルチザン。かれらの目的はいったいなんなのだろう。わからない。わからない。子どもは本気で修行するし，外国人はオリエンタリズムを掻き立てられる。あわせて村山知義『忍びの者』も読みたい。

■『カムイ伝』

戸坂潤

Jun TOSAKA（1900-45）

　哲学者。治安維持法により検挙され，終戦直前に獄中にて死亡。ファシズム批判を旺盛かつ理論的におこなう。戦前人気のあった西田哲学，田辺元や高橋里美など日本の観念論哲学をバッサリ斬るとともに，戦後論争の種となった「転向」の問題を戦前に先取りした。いわく，ブルジョア自由主義のくせに自由主義の自覚が弱く，だらだらそこに自在にいろんなものをぶちこんで，それにつけこんで「日本主義」なる精神主義がはびこっている。復古主義というよりガラクタだ。……なんだかことごとく既視感のある話ではないか。「自由主義は啓蒙などという汚れ仕事をおこなわない」など示唆的なことも書いている。唯物論研究会の創始者のひとり。俳号，薔薇亭華城。▶リベラリズム

■『日本イデオロギー論』★p.219

出来事

QCサークル

　品質管理（Quality Control）をおこなうためのサークル。日本企業空気醸成装置。労働者が自主的，自発的に職場や工程ごとにサークルをつくり，アフター5に欠陥品やコストの削減，品質改善のためにミーティングする。出処はアメリカだが，1960年代初頭に日本に導入されるや異様に流行り，極端化した。「自主的，自発的」というのはもちろん名目で，参加しなければ白い目で見られる。70年代以降は，日本企業が海外進出するに際して「**カイゼン**」として輸出され，世界中の労働者を苦しめるにいたった迷惑なシロモノ。「後工程はお客様」がスローガン。前工程にたずさわる者は，後工程をお客様として遇することで，後工程のニーズをじぶんの工程に反映させなければならない，というもの。**テイラー主義**（アメリカの経営学者F・テイラーによる「科学的管理法」）のかかげる「構想と実行の分離」の逆をいく「融合」。

　これで労働者は肉体だけでなく頭脳をも酷使しなければならなくなった。労働強化以外のなにものでもない。もちろん，アフター5の時間を労働組合に奪われないようにするための，つまり組合潰しの意味も濃厚だ。「コミュニケーション」を導入し，コミュニケーション不全の者は排除，異端発見の装置ともなる。もはや職場内隣組だ。「10人でやっていたところを9人に減らす」——こうした人減らしQCなどは，ムダの発見という刃を職場の仲間に向けてしまうことになる。最近はISOなどと名前を変えているが，日本社会はこのQCが全面化した社会なのかもしれない。▶感情労働，コミュニケーション，フォーディズム／ポストフォーディズム

講座派／労農派

　戦前マルクス主義の流派。日本の資本主義の見方にかかわる。このふたつの流派で戦前「日本資本主義論争」というのをやった。おおきくいって，講座派は二段階革命を提唱。日本はまだ封建制を脱しておらず，絶対主義の段階である。だからブルジョア民主主義革命をやって，それから社会主義革命をしなきゃいけない。いっぽう労農派は一段階革命。もう日本はブルジョア国家なんだから，あとは社会主義革命をやるだけ，というもの。講座派は，日本資本主義は没落過程にあり，もうすぐ革命だとさわぐ。労農派はその逆で，日本資本主義はまだまだ上昇過程にあって，革命の機いまだ熟さずととなえる——などというように，いちいち理論的に対立した。ちなみに前者が日本共産党の立場。後者が戦後は社会党に流れる立場。

　この二派の対立は，戦前，広範に存在した農村や農民層のとらえ方にも色濃く反映。日本の農業は資本主義化しているのかいないのか。地主制の評価，小作料とはなにか，などなど。論争は戦後にも引きつがれ，かなりの影響力をもつことになる。日本の資本主義はまだ遅れている，いや，高度に発達している——というように。どうも現在，マルクス主義の経済理論というのはふるわないが，ほんとうは理論的にもっと深めないといけないはず。経済学者が怠けているのでは？▶都市／農村

「55年」以前／以後

　1955 年。この年以前と以後では，社会を考える道具だてがちがって
くる。55 年は，政治的には保守合同があった年，つまり吉田自由党＋
鳩山民主党＝自由民主党ができた年。そして左右社会党が統一し，日本
共産党の六全協があった年。これでいわゆる 55 年体制が成立。そして
経済的には，「もはや戦後ではない」とうたわれ，高度成長が開始され
たことになっている。

　労働組合のナショナルセンターである総評（日本労働組合総評議会）
は 1950 年に結成されるが，本格的に春闘を組むようになったのは 55
年以降。忘れてならないのは，この年，日本共産党の路線変更があった
こと。50 年代前半には高野実が総評の事務局長をつとめ，高野路線を
仕切っていたが，かれは共産党の秘密党員だった。55 年からは太田薫
議長・岩井章事務局長で総評の全盛期をきずく。同時に共産党は 50 年
からの武装闘争路線を放棄（六全協で正式決議）。朝鮮戦争下（53 年休
戦）のそれまでは，書記長・徳田球一はじめ所感派（親中国派）の主要
党幹部は北京に亡命しており，国内にあっては公然部門として臨時中
央指導部をおいていた。55 年にそれまでの路線が否定され，臨時中央
指導部の指揮で山村ゲリラとしてふんばっていた学生たちはみすてら
れた。おそらく現在のわれわれの「常識」は，まだまだこの 55 年以後
の価値観の残滓に支配されている。

■現代思想 2007 年 12 月臨時増刊号『戦後民衆精神史』

米騒動

　1918 年 7 月，米価暴騰に怒った民衆による騒擾がおきる。きっかけは富山の漁村の女性たちだが，すぐさま全国全県規模に拡大。「騒動」というと，なにか一方的な迷惑行為のようにきこえるが，内実は**米革命**だ。ときの政府を震撼させ，倒さんばかりの大暴動だった。

　さいしょは下層民からはじまり，やがて俸給生活者層までもくわわる。民衆は米問屋から地主の米蔵，富裕な商店，果ては銀行も襲撃した。これを鎮圧すべく警察だけでなく軍隊もが出動。とうじ，米は自由売買にゆだねられており，売り手は投機目的から供給を惜しむことがあった。すると米価は高騰する。主食の価格が上がれば，たださえかつかつでくらしている民衆はたまったものではない。おりしも第一次大戦で日本は好景気にわいていたが，下層民に恩恵はまわってこず，しかも物価だけは上がるのだ。不満はたまる。だから民衆は値段の自己決定権を要求した。米の値段を勝手に決めるな，こちらにも決めさせろという要求だ。

　軍隊をもってしても騒ぎはおさまらなかった。軍隊を押し返したところさえある。民衆の力を見せつけたのだ。翌 1919 年，これに呼応するかのごとく，植民地朝鮮では 3・1 独立運動，中国では 5・4 運動がおこる。以後，危機感を抱いた日本政府は朝鮮産米増殖計画を策定。安価な米を過不足なく調達できるよう，その重荷を朝鮮農民にしわ寄せる仕組みをつくる。

　米騒動では群衆が暴動を起こし，関東大震災では群衆が朝鮮人を虐殺した。この「**群衆**」は同一のものなのだろうか。あるいはそれを「群衆」といっていいのだろうか。すくなくともいえるのは，震災時，朝鮮人を虐殺したのは，「朝鮮人が暴動を起こした／そうとしている」というデマに扇動され，それを鎮圧しようとして「組織された」自警団だったということだ。しかもそのきっかけとなるデマは警察自身によっても流され助長された。つまり，殺したのは「群衆」ではなく，むしろ「暴動を起こす群衆」を鎮圧しようとする**反群衆的（反人民的**といってもい

い）なものなのだ。この混同はきちんとただされる必要がある。ここを
あいまいにすることによって，統治秩序に都合のいい規範ができあが
るからだ。▶革命，警察，人民

1918年8月11日，騒動で焼き払われた神戸の鈴木商社

電産型賃金

　年功賃金の原型といわれるが，とりあえずベツモノ。電気産業労働組合（電産）が敗戦翌年の 1946 年，産別会議 10 月闘争（産別会議の指導で 12 の組合が共闘した）のなかで獲得。

　電産型賃金の本給部分は年齢給だ。年齢ごとの生計費調査（マーケットバスケット方式）にもとづく算出法により，右肩上がりのカーブが出現する。加齢は平等であり，だれもがかならず 1 年ごとに歳をとる。社内でおない齢なら賃金は同一額だし，だれもが年々，おなじように昇給していく。ほかに家族の人数に応じた家族給，勤続年数を考慮した年齢給などから構成される。重要なのは，**経営者の査定を排除した**こと。また，賃金の 8 割を「生活保障給」とし，会社の生産性に左右されずに最低限の生活が保障されるようにした。これらの点で，学歴と勤続年数で決まる年功賃金とはことなる。年功賃金では，とにかく会社にしがみついていなければ，マイホームや車のローン，息子娘の進学費用等々がまかなえない。家族およびじぶんの生活を人質にとられているようなものだ。制度派経済学ではこれを hostage-model ともいう。これにより，ふり落とされないよう必死で働く（ときには過労死するほどの）インセンティヴをつくりだす。

　東大卒・28 歳男子・総合職・幹部候補と，短大卒・50 歳女子・庶務なら，賃金はどうちがうだろう。いまなら前者のほうが高いのもあたりまえのように受けとれるだろう。しかし電産型賃金体系のもとでは，とうぜん後者が高くなる。家族給の考え方も，いまの家族像からすると革新的。組合が家族と認めれば，それは家族なのだ。敗戦直後の飢餓状態のなか，ひとりでも多くの人間を養っていこうという発想から勝ちとられた。

　しかしこの電産型賃金，経営側にとってはそうとうオモシロクなかったらしく，わずか 10 年でつぶされていく。

■河西宏祐『電産型賃金の思想』

THE MANIFESTO

OF

SIGNED BY THE PROVISIONAL COUNCIL AT THE FOUNDATION OF THE
LEAGUE ON 30th DEC. 1884, AND ADOPTED AT

THE GENERAL CONFERENCE

Held at FARRINGDON HALL, LONDON, on JULY 5th, 1885.

———o———

A New Edition, Annotated by

WILLIAM MORRIS AND E. BELFORT BAX.

LONDON:
Socialist League Office,
13 FARRINGDON ROAD, HOLBORN VIADUCT, E.C

1885.

PRICE ONE PENNY.

2.1 スト

　1947年2月1日に実行されるはずだった全国的なゼネラルストライキ。45年10月から46年10月までが生産管理闘争。とちゅう食糧メーデーをはさんで46年10月には産別会議10月闘争 (p.168)。そして年をまたぎこの2.1スト，とおぼえておこう。

　ちなみに46年5月の食糧メーデーでは，まず12日に「米よこせ」デモをしていた民衆がそのまま皇居に流れこみ，建物内に侵入。台所にまで立ちいって冷蔵庫のなかに高級魚や牛肉があるのを確認。19日は人民広場（とうじ皇居前広場のことをこういった）に30万人が集結。これを**食糧メーデー**と呼ぶ。ここでは有名な「国体はゴジ（護持）された　朕はたらふく食って居るぞ　汝人民飢えて死ね　ギョメイギョジ（御名御璽）」というプラカードがあらわれた（これをもっていた人は不敬罪に問われた）。

　さて，このストの目的はときの吉田政権打倒。経済目的というよりは，**政治的なゼネスト**だ。エラそうな吉田茂が，この年の正月，労働組合やデモをする民衆のことを「不逞の輩」と呼んだ。これに怒った労組がゼネストを準備。しかしおりからこの動きを注視していたマッカーサー＝GHQは，日本の経済秩序を維持できず，公共の福祉に反するとして中止を指令し，ストは潰えてしまった。スト首謀者は占領目的違反に問われた。中止の背景に，GHQがじょじょに深まる「**冷戦**」のきざしを感じとっていたから，というのが指摘される。GHQがそれまで許容していた日本共産党や労組勢力の伸長を危険視し，こんどはそれを抑圧するほうへ方針転換したことでも注目される。またゼネストが強行されれば，占領軍の物理的な実力行使の裏づけ，すなわち軍事的機能を確保できなくなることをおそれた側面もあった。この2.1スト中止の延長上に公務員のストライキ禁止令（48年，政令201号）が存在する。

　もし強行していたら，**初の全国的ゼネスト**として，戦後日本のよい思い出（＝記憶）となったかもしれない。そして，いまでもゼネストが頻

発していたかもしれない。現実にはゼネストはおろか，スト件数の異常な少なさという，つくづく残念な事態になっている。▶ストライキ／サボタージュ，冷戦

【上】1946年5月19日　人々は皇居坂下門におしよせた
【下左】デモにくわわり学校給食の復活を要求する子どもたち。
　　　　幟には「ワタシタチハオナカガペコペコデス」の文字が
【下右】「詔書」と題されたプラカードをかかげ，不敬罪に問われた人も

80年代

　現在はいろんな意味でこの時代あらわになった価値観の延長上にあり，そこからいかに脱却するかに世界は呻吟してきたかのよう。日本の80年代は悲惨だ。日本企業最強説が流布し，金ピカ趣味，ペラペラ文化がはびこり，世のお笑い化が進行。テレビでは若い女性をおおぜいならべて踊らせ歌わせるという，どうしようもないブームが巻きおこった（21世紀に悪夢の復活）。困ってる人，まじめな人，ノリの悪い人はネクラと笑い者にされ，「ダサいやつ」や「ビンボー人」は無視されるか，揶揄や茶化しの対象となる風潮も。こうした時代の精神と雰囲気は，成金→セレブ，ネクラ→陰キャ，ダサい→イケてない等々と用語が変わっただけで，いまも続いている。

　「**オタク**」が認知されはじめたのもこのころだ。ふつうは目の前にいる人を二人称の「あなた」「きみ」等と呼ぶのにたいし，かれらはやや距離のある「オタク」と呼ぶことからくる。目前の相手に向きあわず宙づりにする，いわば「二・五人称」だ。考えてみれば，じつに**市場的ふるまい**である（目の前の人を「お客様」と呼ぶのと通ずる）。おのが趣味の砦にこもり，権威によわく保守的で，当初は死ぬほど嫌われたが，いまは市民権どころかステイタスすら獲得している。いったいなにがおきたのか。

　そのすこし前の70年代に欧米から広がったパンクやニューウェーブの多くは思想的にラディカルで，反核，フェミニズム，アニマルリベレーション，エコロジーなどに親和性があり，労働者の子弟たちの疎外の表現でもあった。日本でこういうのを聴いていたのはいわばロック版オタクだが，それは80年代メインストリームへの対抗だったかもしれない。ただしかし，時はバブル前後，消費主義に埋没気味で，たいして政治化することなく国鉄分割民営化（1987年）も冷戦終結（1989年）もスルーしてしまった。　▶**新自由主義，疎外，冷戦**

パリコミューン

　パリは**バリケード**によって，ブルジョアを，国家を内側から包囲した。1871年3月，パリに史上はじめてのプロレタリア独裁を宣言する自治政府が誕生。各区選出の代議員が立法・執行もかねたコミューン政治をになう。政教の徹底分離。徴兵制の廃止と常備軍の解体。役人の俸給を労働者のそれ以下の水準にする……などなどの革命的施策を実行。パリという都市がごくみじかい期間だがコミューンの経験をもった。

　1851年ナポレオン3世が登場してより，第二帝政下のパリではセーヌ県知事オスマンの都市計画による大々的な都市改造がおこなわれた。迷路のような裏路地が一掃され，放射状の道幅のひろい街路が貫通，区画整理された土地のうえに豪奢な建造物がそびえ，パリ民衆は周縁に追いやられていった。しかし70年普仏戦争が勃発すると，ナポレオン3世は早々に投降し捕虜となる。これをきっかけに民衆のたまっていた怒りが爆発。近代的労働者だけでなく，雑多な層——職人層，零細商人層など——が蜂起した。またブランキ派やプルードン派が活躍，マルクス派も少数派として参加した。つぎの文章はマルクスのコミューン評価から。

　「労働者階級は，コミューンから奇跡を期待しはしなかった。彼らは人民の命令によってはじめられるべき，何らできあいのユートピアをももたない。彼らは**彼ら自身の解放**を完成し，かつそれとともに，現社会がそれ自身の経済力によって嫌悪なしにめざしているところの，あのより高度の形態を完成するには，彼らが長い闘争を，——外部状況と人間とを転化する一連の歴史的過程を，経なければならないであろうということを知っている」（『フランスの内乱』木下半治訳，岩波文庫，1952）。

　おもうにパリコミューンは，街がじぶんたちの生きる場所でなくされ，街自体がじぶんたちを排除することにたいする蜂起だったのではないか。ひとが急速によそよそしくなる，安下宿や裏路地やカフェにはあやしげなひとびとがたむろさなくなる，街のことをじぶんたちでき

められなくなる——そういう場所になってしまうことへの拒否だった
のでは。統治の装置となりさがった街にたいして，ぶつぶつ批判してい
てもらちがあかない。破壊の実力行使でこたえるしかない。パリコミュ
ーンは都市の経験をさまざまに再検討させてくれる。

　5月，プロイセン軍に支援されたティエールひきいる政府軍が介入，
血の1週間といわれるはげしい市街戦のけっか，コミューン軍は全滅
させられた。画家クールべはコミューンの代議員をつとめ，若きランボ
ーも蜂起に馳せ参じたことが知られる。▶インフラ，都市／農村

1871年4月　市庁舎とリヴォリ通りの角にきずかれたバリケード

フォーディズム／ポストフォーディズム

　戦後資本主義のモデル区分。生産スタイルの変更。概念のソースはレギュラシオン理論。

　フォーディズム（ビッグ3のひとつフォード社が起源）は大量生産，ポストフォーディズムはフレキシブル生産を特徴とする。これらは蓄積戦略に結びついており，変化は1960年代後半から70年代にかけて生じた。この時期，内包的蓄積体制の危機，すなわち高賃金政策による需要創出が資本側に限界と感じられ，新たな消費ノルムの創出とそれに適合的な生産スタイルの開発へと向かう。生産計画の事前決定による情報のトップダウン流通，テイラー主義的アセンブリーライン生産に沿う"型に嵌る"規格動作と，それにもとづいた規律的労働がメインになるのがフォーディズム。それに対し，頻繁な需要変化の感知による情報の末端入力と，それに即応する"臨機応変な"生産の自己調整を可能にする管理的労働がメインになるのがポストフォーディズム。「構想と実行の分離」から「融合」へ。

　個別資本内部の変化のみならず，社会全般の統治様式とマクロの財政経済政策との連携によっても区分されうる。ケインズ主義的福祉国家からワークフェアの新自由主義へ。この変更は政治経済のみならず，社会文化領域の変化とも密接に関連し，労働時間，職場，教育，消費とライフスタイル，精神病理や実存レヴェルでの変化も惹起した。**フォーディズム**は，雇用・生活をはじめとする固定・閉鎖的「環境」を要件とし，人間生活全般について「**安定**」を条件化することで搾取を体制化する。これに対し，**ポストフォーディズム**はそれらを剥奪し溶解させることで，その条件をつくりだす（剥き出し，無防備，危険，「世界の開放性」）。そこでは生産過程自体が「出来事」性を帯びるため，あるいは生産物自体の無形性・非物質性によって，つねに「**不確定性**」に向き合い，生産が組織されねばならない。また，そのために「潜在性」の活用を強化するのもその特徴であろう──言語，コミュニケーション，協働，集

合性，感性，知力，想像力といった能力の動員，すなわち従来の非労働部分からのそれら調達。これらは労働／非労働の分割の解消を前提とする。以上から，ポストフォーディズムにおいては，**非物質的労働**がドミナントとなり，それは存在論的なレヴェルでの「不安定」を要請する。またそれが人間の生の条件ともなる。▶**感情労働**，**コミュニケーション**，**新自由主義**

ポストフォーディズムは「労働力の女性化」をひとつの特徴とする
(©Ludwig, Jürgen)

福島／フクシマ

　2011年3月11日の東日本震災で，翌12日から東京電力福島第一原発がつぎつぎと爆発。3基の原子炉がメルトダウンをおこしてふっとび，放射能をまき散らした。点検中だった4号機にいたっては，使用済み核燃料を貯蔵しているだけで爆発する始末である。それまであまり知られず，目立たなかった土地が，いっきょ世界のフクシマになった。放射能汚染により広大な面積の土地に人が住めなくなり，大量の避難民＝難民をうみだしたのだ。

　フクシマはさまざまな問題をつきつけ続ける。首都圏の電力をまかなうため，電力会社が地方を補助金漬けにしてきた実態。独占。**内国植民地**。土地・農作物・漁業資源への汚染。核廃棄物。廃炉作業。汚染水。除染。避難者への補償。重層的下請け構造と中抜き。危険労働に従事する格安底辺労働力の搾取，そして暴力。暴力団・右翼や政治との癒着。専門家・科学者の無能と倫理などなど。このように腐敗の象徴でありながら，事故後10年余をへてもこの出来事を直視できず，いまなおなかったことにしたい者たちが大量に存在することを浮かび上がらせている。　▶原子力，公害，腐敗

2011年3月16日の福島第一原発

ブロック経済

　第一次大戦をへた 1920 年代，金本位制への復帰が「国際協調」（＝ウィルソン主義）の基調であった。それが 29 年世界恐慌によって破綻。金本位制というのは，貿易の国際決済の方法として金の現送をおこない，国内通貨発行量と国内金量を連結させようとするもの。いまでいうなら，自由貿易主義のグローバリゼーションといったところだ。帝国主義諸国は恐慌以後，金本位制をつぎつぎ離脱し管理通貨制度へと移行。通貨発行量をコントロールし，意図的にインフレをおこす財政政策をとる。

　日本では国債の日銀引受けによる高橋財政がこれにあたる。じつは金本位制からいちはやく離脱したのは日本で，ほぼどうじに資本逃避防止法も成立させ，さらに為替管理，貿易管理など域内経済を国家管理下におこうとした。1931 年にはカルテルを助長するための重要産業統制法，35 年からは本格的に重化学工業化。帝国主義国家と植民地で閉鎖経済圏を追求。めざしたのはおのれの通貨圏内で完結するアウタルキー（自給自足）経済体系。これがブロック経済だ。米はモンロー主義，ニューディールのドルブロック，仏はフランブロック，英はスターリングブロック，後発帝国主義の独はマルクブロックにより生存圏（Lebensraum）を死守せんとした。円ブロックの日本は，日満（支）ブロックから大東亜共栄圏構想につながっていく。このかん日本は非常時，準戦時体制と戦時色を濃くし，37 年には日中戦争を開始，そのご近衛新体制，産報体制，翼賛体制などと推移しファシズム体制をつくりあげていく。ようするに戦争継続のためには資源配分を徹底統制する必要があった（**統制経済**）ということだ。▶ファシズム

ラッダイト

19世紀初頭，産業革命期イギリスにおいてひろがった労働者による機械の打ち壊し運動。ネッド・ラッドという若者がすでに前世紀，機械を壊した伝説上の人物となっていて，その名からとられた。

産業革命のもと，資本家は効率をあげ，生産量をふやすべく機械を導入したが，労働者は仕事を奪われてしまうと危惧した。そうして機械を打ち壊し，工場を焼き討ちするにいたる。資本家は泡をくい，政府にこれを徹底的に取り締まらせた。死刑にされた者までいる。つまりモノよりひとの命のほうが軽くなってしまったわけだ。マルクスはこの帰結について『資本論』のなかで，破壊行為の対象が機械＝物質にとどまり，搾取関係を攻撃しない，あやまてる運動だったと総括した。だが，はたしてそれだけか。

資本主義のそのごの展開をみれば，技術革新は，失業のみならず賃金を下げ，なによりはたらくことを機械に隷属させ，労働者がモノ以下にされる状態をすすめたのではなかったか。逆説的に，**ひとはモノの客体にされてしまった**のだ。ラッダイトはそんな資本主義のあり方そのものにたいする抵抗だったのでは。現在，ITをはじめテクノロジーがさも福音であるかのように言祝がれる。しかしインターネットで長時間労働や低賃金が，さらには戦争や貧困や公害がなくなったわけでもない。軍需産業など最新テクノロジーのかたまりだけど，ひとを殺す道具以外なにも生みだしていない。テクノロジー信者はすぐ「技術は退歩できない」とかいうけど，巨大企業が儲けをだすために不要でロクでもない技術開発をしているだけではないのか。

搾取関係打破のため，資本家を打倒するのでなく，機械＝テクノロジーを破壊する。そんなにおかしいことだろうか？ ラッダイトは，ポケットに砂をしのばせ，そっと歯車のなかに撒く。じぶんたちを破壊するものを破壊する，（バラ色の，つまり虚妄にみちた）**「未来にたいする反逆」**だった／であるかもしれない。▶パリコミューン

冷戦

　米ソの覇権争いによる東西への世界二分化。西側が資本主義，東側は
社会主義・共産主義にもとづく体制づくり。前者が第一世界で後者は第
二世界と呼ばれる。時代的には第二次大戦終結直後の 1945 年から 89
年までをさす。

　ふたつの超大国が本気でやりあえば世界がなんどでも破滅するので，
ボスどうしはやりあわず，配下にある国や地域に「熱い戦争」をさせる
（代理戦争）などする。両国は核弾頭保有数，軍拡，宇宙開発，諜報戦
などさまざまな領域で徹底的にはりあい，おのが体制の維持拡大にし
のぎを削った。

　搾取なき平等な世界をめざす理想はどこへやら，東側各国の体制は
不自由で抑圧的なたえがたいものへと堕落。他方，西側資本主義は人民
が貧しくなりすぎて革命をおこされ，東側につくことを恐れてやりす
ぎを抑制。西側先進国が戦後，「福祉国家」路線——つまり資本家が人
民に階級的に譲歩する，「成長」の果実を分配する——を採用したのは
こんな理由があったろう。ただし西側先進国が繁栄を謳歌したそのウ
ラで，冷戦の最前線では軍事介入や軍事独裁政権の長期化など強圧的
な政治と暴力が常態化していた。

　1986 年 4 月チェルノブイリ原発事故（ソ連），89 年 4 月天安門事件
（中国）。体制の矛盾と抑圧をまのあたりにし，東側諸国はまさにドミ
ノ倒しで崩壊していく。こうして冷戦は終結し，社会主義・共産主義は
もう終わったとされる。勝利した西側，つまり資本主義バンザイ勢力は
ライバルがいなくなってとことん調子にのり，資本主義一択という価
値観を世界中に植えつけていく。新自由主義グローバリゼーションだ。

　日本は冷戦のおかげで，ほんとうなら戦後向きあうべきだったさま
ざまな問題をスルーできた。つまり**冷戦に甘えてきたし**，いまも甘えて
いるのだ。▶**グローバリゼーション**，**新自由主義**，**第三世界**

シネマ

エネミー・オブ・アメリカ （原題：Enemy of the State）

監督：トニー・スコット　主演：ウィル・スミス　1998年　アメリカ

スノーデン事件を先取りした感のある力作。ハリウッドはロクでも
ないものもつくるが，こういうものも金をかけてつくる。NSA（米国家
安全保障局）による監視をスリリングに映画化。衛星が飛びまわり，い
たるところに監視カメラが仕掛けられ，インターネット，携帯などは完
全に把握可能，いっさいが盗撮・盗聴可能。プライヴァシーなどはもう
事実上ない。

ウィル・スミス演じる主人公の弁護士，不幸にも偶然NSAの違法行
為に巻きこまれ，以後，NSAは監視網を駆使してかれを追い，消そう
とする。そこにあらわれたジーン・ハックマン。元NSA職員で従軍時
には対イラン諜報活動をやっていたらしい。やがてインサイダーとし
て厄介者扱いされ，この世界から「いなくなる」ことに決めたのだった。
このふたりでNSAの陰謀に立ち向かう。オタク然としたNSA分析官
たちがハンバーガーをほおばりながら，盗撮盗聴を的確にこなすさま
は，ノゾキ野郎の本領発揮という感じだ。危機管理だの緊急事態だのと
いうのは，こういうイヤらしい連中に強大な権限をあたえることにな
ると知るべき。

DVD：ブエナ・ビスタ・ホーム・エンターテイメント

ガタカ

監督：アンドリュー・ニコル　主演：イーサン・ホーク　1997年　アメリカ

　近未来，男女がふつうに愛しあって生まれた子どもは，この社会では「出来損ない」である。子どもはデザインされており，生殖は人為的にコントロールされている。劣等な遺伝子はあらかじめ選別・排除されるのだ。遺伝子エリートとそうでないもの。エリートはエリートの職業に就き，そうでないものは社会の底辺に追いやられる。自然妊娠で生まれた主人公は，誕生と同時に疾患のリスクを指摘される。夢は宇宙飛行士，だがそれはエリートしかつけない職業。宇宙局ガタカに入るには，厳重な遺伝子スクリーニングの壁が立ちはだかる。そのため，遺伝子エリートの別人と入れ替わることを画策する。はたして成功するか？　かれは宇宙飛行士になれるのか？　**優生社会**の悪夢をえがいた名作。ネオゴチック風の近未来都市にマイケル・ナイマンのミニマル・ミュージック。静謐さをたたえて映画はすすむ。▶**優生学**

DVD：ソニー・ピクチャーズエンタテインメント

KT

監督：阪本順治　主演：佐藤浩市　2002 年　日本／韓国

　1973 年，東京を舞台に事件が起こる。韓国大統領候補・金大中 が拉致された。民主化運動のシンボル的存在であり，この政敵の暗殺を 朴正煕 は KCIA に命じた。緊迫した進行にあって日韓，ひいては朝鮮半島との関係をつぶさにみてとれる。朴正煕は日本が育てた軍人だ。48年大韓民国建国，60 年 4・19 革命，61 年朴正煕による軍部クーデタ，65 年日韓基本条約，79 年朴正煕暗殺，80 年軍部クーデタ，そして光州事件から非常戒厳令。38 度線はなぜそこに引かれているのか。

　主人公（佐藤浩市）は三島由紀夫に心酔する情報将校。日本が高度成長を謳歌し，その果実を貪っていたころ，韓国は戒厳令下にあった（台湾も）。私たちはいったいどれほどそれに自覚的であったろう。韓国軍事政権を支えていたのは米日である。73 年 8 月 8 日，金大中は解放され，作中で直接ふれられてはいないが，その鍵は米中接近だ。印象的なシーンがいくつもある。在日朝鮮人の青年（筒井道隆）に公安警察・外事課の刑事が取り調べをするシーン，そして「日帝 36 年の恨」など。作中，主人公の「キムさんさようなら，ユウさんさようなら，もうひとりのキムさんさようなら」のセリフは，中野重治の詩「雨の降る品川駅」を思わせる。

📷パッチギ！，タクシー運転手

DVD：ブエナ・ビスタ・ホーム・エンターテイメント

SR サイタマノラッパー

監督：入江悠　主演：駒木根隆介　2009 年　日本

　群馬にほど近い埼玉の奥のほう，フリーター，ニートたちがラップにはまる。あるいはラップにはまったからそうなったのか。北関東ヒップホップ事情。とてもイタいのだが，そのイタさこそ鑑賞のポイント。国道を走れば，ファミレス，消費者金融のディスペンサー，ラブホテル，カラオケ，郊外住宅，田畑，ホームセンターがならぶ。おなじみの風景だ。ヒップホップの香りは微塵もない。夢々とやたら強調するくせに，いっさい夢をみさせないこの社会で，かれらはラッパーへの夢をみる。かれらのヒップホップ文化はすべてミミック（みようみまね）からはじまる。文化がほしい。ジャック・ランシエール（p.156）の『プロレタリアの夜』では，19 世紀中盤のフランス，労働者が夜に詩を書くが，サイタマの宵はラップでふけてゆく。

　東京で AV 女優になった同級生が帰郷して再会，夢を見，ラップにうつつを抜かすかれらに「働け」という。なぜフリーター，ニートがラップをしてはいけないのだろう。それはまちがったことなのか。公民館でのライブもとてもイタい。ラップする者とそれを聴いている者，はたしてどちらがイタいのか。ちょっとした名場面。ラストシーン，食堂で放つフリースタイル，半径 1 メートルからのラップは圧巻。正・続・続々と 3 作までつくられた。

DVD：アミューズソフトエンタテインメント

サンドラの週末

監督：ジャン＝ピエール＆リュック・ダルデンス　主演：マリオン・コティヤール
2014年　ベルギー／フランス／イタリア

　こういうゲームはもう終わりにしないといけない。やっと病が癒え
て仕事を再開しようとするサンドラを会社は辞めさせようとする。やり口がめっぽうえげつない。その方法は職場投票。あろうことか，じぶんたちのボーナスをなくすか，それともサンドラに辞めてもらうか，の二者択一の投票。失職すれば，生活が立ちゆかなくなる。だからサンドラは同僚たちにボーナスをあきらめ，じぶんを復職させるほうに投票してくれるよう，ひとりひとり説得してまわる。もちろん彼ら彼女らとて，金については，みなカツカツであることは同様。サンドラはそのかん憔悴をかさねる。薬の量もふえる，涙もとまらない。

　支配する側というのは，いつもこんなダブルバインド（二重拘束）を仕掛けてくる。そして企業というのはやっぱりこういうもの，という感覚をなくさないことがたいせつ。途中「労働組合は……」という言葉が脳裏をよぎったりもするのだが，顛末は映画をみてほしい。さいご，彼女はきっぱり拒否する。なにを？　きっとこんなゲームが溢れるこの世の中そのものだ。映画はほぼ全編音楽をつかわず，淡々とすすんでゆく。レイバームービー。あわせて同監督の『ロゼッタ』もみてみよう。

DVD：KADOKAWA/角川書店

太陽の墓場

監督：大島渚　主演：炎加世子　1960 年　日本

　日本のヌーヴェルヴァーグの旗手，大島の作品としてはよく知られている『日本の夜と霧』と同年につくられた。日本の三大ドヤ街のひとつ，**釜ヶ崎**が舞台。当時のじっさいの風景もおりこみながら話はすすむ。若者たち，暴力団の抗争，ドヤにおける商売（売血，売春など），手配師，日雇い労働者たちのニヒリズム，その荒んだ殺伐ぶりを，話としても風景としてもみごと映像化。「ドヤはどこや」という象徴的なセリフがなんどもでてくる。ヤクザ映画は 1960 年代後半に流行するが，それを先取りしているともいえる。いや，暴力団の発生初発の時点で捉えている点でそれよりも秀逸だ。

　ドヤは単身者の街と思われがちだが，じつは家族や子どもと同居する者も多かった。かれらはなぜいなくなったのだろう。夕陽，大阪城をバックに，大阪砲兵工廠跡地や鉄骨が剝き出しになった廃工場などが美しく映像化される。最後のほう，主人公のセリフ，「ここにいる乞食はおらんようになるんか？　ほんまによくなるんか？」――超アップで映しだされる労働者たちの表情の変化に着目。そして暴動へ。

　この映画が公開されたあと，ほんとうに第一次釜ヶ崎暴動（1961 年 8 月）がおこる。その意味でこの作品は暴動を予告していた。えがく時代はおなじだが，『ALWAYS 三丁目の夕日』とかいう愚劣な映画と見比べてほしい。さて，みおわったら，酒井隆史『通天閣』にチャレンジ。

DVD：松竹

タクシー運転手　約束は海を越えて

監督：チャン・フン　主演：ソン・ガンホ　2017 年　韓国

　1980 年，韓国の民衆蜂起「光州事件」が舞台。79 年朴正煕暗殺，そして軍事クーデタ，全斗煥政権成立と戒厳令。ソウルのタクシー運転手がドイツ人ジャーナリスト，ピーターをのせて封鎖された光州にはいりソウルにもどるまでの 2 日間をえがく。ピーターの撮影した映像が光州の惨劇を世界に知らしめた。映像も役者たちの演技もすばらしい。政治に関心などない，すっとぼけた味の，娘おもいのタクシー運転手がいかに光州の民衆と行動をともにするにいたったか。かれの心の変化きざす場面には思わず涙こぼれる。デモをする学生たち，そして「群衆」──戒厳軍と対峙するあの「群衆」。地鳴りのするデモ。自国軍隊が容赦なく残虐にえがかれる。

　内容的に続編ともいえる同年公開のチャン・ジュナン監督作品『1987 ある闘いの真実』もあわせて観たいところだ。こちらは六月民主抗争をえがき，やはり**学生**が重要な役割を演じる。著者の若いころ，韓国のイメージは「戒厳令の国」だった。自身学生だったこの年，韓国の民主化運動（민주）の報道は日本に伝わってきていたが，では自分はなにをしていたのかといえば判然としない。催涙弾に撃たれ殺された，抱きかかえられ，うなだれる李韓烈青年の写真は日本でも大きく報道された。

🎬 KT，パッチギ！

DVD：TC エンタテインメント／ツイン

トゥルーマン・ショー

監督・ピーター・ウィアー　主演：ジム・キャリー　1998 年　アメリカ

　新自由主義的グローバル化が極限まですすんだ世界とはこんなもの
なのだろう。全世界がひとりの男の全生活・一生を「リアリティショー」
として覗きみる。しかもその男の一生はアンダーコントロール。すべて
は番組、視聴率、スポンサーのため。いたるところ多国籍企業の CM、
CM、CM だ。

　舞台となるシーヘブンという離島は、1990 年代アメリカの都市郊外
にさかんに作られたゲーティッドシティ（門で閉ざされた街）がモデル
だろう（サブプライム崩壊以降、櫛の歯が抜けるように荒廃しているに
違いないが）。そしてそのゲーティッドシティのモデルは、50 年代のパッ
クスアメリカーナ（アメリカの平和）に根をもつ。白壁のコロニアル
スタイル。庭つき一戸建て、バカでかい冷蔵庫、自家用車、青々とした
芝生、美しい妻。団欒の場であるリビングに飾られた家族写真。それら
への「ノスタルジー」が、いまだに「アメリカ」を動機づけている。つ
まりマーケティングとは、「思い出」＝記憶の操作、条件づけである。
こういう街では、とうぜんホームレスなど「不審者」は「一斉排除」さ
れる。清潔でゴミひとつ落ちてない、落書きのない街。おそろしい。

　「撮影中」のトゥルーマンが不審な行動にでると、街は一変する。ショー
の役者でもある住人たちはトゥルーマン狩りをはじめる。「テロリ
スト」にご用心、というわけだ。監視カメラ・セキュリティ全開モード。

DVD：パラマウント ジャパン

Dread Beat An'Blood

監督：Franco Rosso　1979 年　イギリス

　ジャマイカ出身のレゲエミュージシャン・詩人，LKJ ことリントン・クウェシ・ジョンソン（1952-）の活動をベースに撮影されたドキュメンタリー。ジャマイカは 1961 年にイギリスから独立。LKJ は移民として 11 歳の時にロンドン近郊のブリクストンにきた。ダブ・ミュージシャンであるとともに，地域で詩の朗読会をし，子どもたちに勉強を教え，政治活動をしている。ブラックパンサー党員でもある。

　時は 1979 年，イギリスにサッチャー新自由主義政権が登場した年だ。完全雇用から失業へ，抑圧から排除へ，Social Security から Public Security へ——が露骨に映しだされる。「疑わしい」というだけで警察は黒人を恣意的に逮捕しうる。作中で歌われるダブの歌詞にも注目してほしいし（暴力がテーマだ），最後のシーンは強盗容疑のヌレ衣を着せられた黒人を解放すべくデモに参加，たどりついた警察署の前で抗議。アジテーションと詩の内容がおなじであるところに注目せねばならない。**政治＝音楽＝詩**なのである。「人類の悲惨をうたった詩を何千編書いてもなにも変わらない。世の中を変えるのは，具体的で革命的な行動だ」とうったえる姿はクール。「クールジャパン」など，ちっともクールじゃない。

◉パンサー

DVD：P-VINE RECORDS

パッチギ！

監督：井筒和幸　主演：塩谷瞬　2005 年　日本

　なぜ 38 度線が引かれているのだろう？ 1945 年 8 月 6 日広島，4 日あとには長崎と，なぜ原爆は 2 発落とされたのか。アメリカが主張する，日本に降伏をうながすというのであれば，1 発でたりたはずだ（1 発ならいいといってるわけではない）。この 4 日のあいだになにがあっただろう，ということを考えてみる。8 月 8 日から 8 月 9 日未明にかけてソ連が対日参戦。日ソ中立条約が反故にされ，ソ連軍は関東軍を敗走させ，怒濤のごとく一挙朝鮮半島を南下，38 度線以北を占領。これにアメリカが反応，半島の分割占領を提案した。これが 50 年の朝鮮戦争勃発で軍事境界線となり，53 年の休戦協定で米ソ境界線の周辺域が停戦ラインとされた。国境だと思っているひともいるかもしれないが，あれは軍事境界線であり，北朝鮮と韓国はいまだ戦争中（休戦中）だ。では，なぜ 38 度線なのか。説はいろいろある。

　分断国家，そして在日朝鮮人。日本人はそれについて，なにを知ったというのだろうか。映画は「イムジンガン」という放送禁止歌をバックに，若者の青春をえがく。バイオレンスあり，ロマンスあり，コメディあり。日本人高校生と朝鮮高級学校の生徒たち。時代は学園紛争盛んなりきのころ。

🎬 KT，タクシー運転手

DVD：ハピネット・ピクチャーズ

ハート・ブルー

（原題：Point Break）

監督：キャスリン・ビグロー　主演：キアヌ・リーブス　1991年　アメリカ

『ベーシック・インカムの哲学』の原書表紙には，波乗りするサーファーの写真が使われている。「遊んでばかりいるサーファーに BI を支給してもいいのか」という問いかけがここには込められているのだ。その問いへのひとつの回答ともいえるのが本作である。サーファーたちが銀行強盗をする話だ。

　目的は金ではない。かれらは「魂を腐らせる体制」——現代の既存のシステム——に挑むべく強盗を重ねる。銀行を襲うとき，米大統領のマスクをかぶるというのも意味深長ではないか。カネを強奪する大統領一味というわけだ。キアヌ・リーブス扮する FBI 捜査官ユタは，この強盗団を逮捕すべく，サーファーたちの輪の中に潜入する。だがかれらとつき合ううち，ユタはサーフィンの魅力に憑かれてしまう——おのれの仕事を忘れて。

　ある瞬間をエキサイトする——上昇と落下，波と合一する疾走感と官能。サーファーたちはつねに死と隣り合わせの眩暈を追い求め，カネにがんじがらめにされたわれわれの監獄的な生活をあざ笑うかのごとき解放感をみせつけてくれる。どうじに過剰なまでに暴力を拡張して描いていることからすると，監督のビグローはマチズモをも批判しているかのようでもある。

　人間だれしも 1 日は 24 時間だ。そのなかで寝たり，働いたり，食事をとったり，遊んだり，子どもを育てたりする。その意味では平等だ。なのに，なぜこうも差がつくのか。よく考えてもみよう，BI は一種サーフィンボードのようなものかもしれない。▶ベーシックインカム

【左】DVD：パラマウント・ホーム・エンタテインメント・ジャパン
【右】ヴァン・パリース『ベーシック・インカムの哲学』原書表紙

バハールの涙

監督：エヴァ・ウッソン　主演：ゴルシフテ・ファラハニ
2018 年　フランス／ベルギー／ジョージア／スイス

イラクのクルド人自治区，IS（自称「イスラム国」）と戦うクルド女性部隊。そこに隻眼の仏女性ジャーナリストがおもむく。女性部隊をひきいるのはバハール。IS に兵士要員として連れ去られた息子を救いだすため，女だけの部隊をつくった。境遇の似たふたりの女の友情と共闘がはじまる。

クルド人は国をもたない「世界最大の少数民族」だ。居住区域（クルディスタンとよばれる）はトルコ，シリア，イラク，イラン国境に広域にまたがる。この地域をめぐる情勢は複雑きわまりない。トルコには独立をめざす PKK（クルディスタン労働者党）が存在し，武装闘争をはじめ，はげしい抵抗を続けてきた。党首アブドゥッラー・オジャラン（通称アポ）はいまだ監獄に幽閉中。もともとスターリン主義傾向のつよいマルクス主義者だったが，獄中，M・ブクチン（アナキスト／エコロジスト）や M・フーコーなどを勉強し，現在ではエコロジーを基盤にした分権的自治連邦制をめざすようになった。クルドの対 IS 作戦はこのオジャラン率いる PKK の影響下にあるといっていいだろう。

シリア北部にはロジャヴァとよばれる自治区がある。2013 年以降，ここでクルド人によるさまざまな社会実験がおこなわれている。その試みは希望に満ちたものだ。だが，IS や大国がその希望を損なおうとする。興味のある人は，たとえばイタリア人漫画家によるすぐれたルポルタージュコミック『コバニ・コーリング』を読んでみよう。

■ゼロカルカーレ『コバニ・コーリング』, クナップ他『女たちの中東 ロジャヴァの革命』

DVD：ツイン

パンサー

監督：マリオ・ヴァン・ピープルズ　主演：カディーム・ハーディソン
1995 年　アメリカ

　カリフォルニア州オークランドにおけるブラックパンサー党の結成
をえがいた作品。Black Panther for Self defense，自衛のためのブラックパ
ンサー。1967 年，ベトナムから帰ってくると，黒人コミュニティは荒
廃していた。仕事はなくドラッグが蔓延し，白人警官の暴力はやむこと
がない。年に何十人も殺される。キングもマルコム X も殺された。結
成時はボビー・シールとヒューイ・ニュートンのふたりだけ。かれらの
活動の中心には「コミュニティ再生」があった。給食当番，教育活動，
黒人アート，第三世界主義。黒人居住区には信号機がついていないの
で，子どもがよく車に轢かれる。そこで交差点に立ち，じぶんたちが信
号機になった。黒人が警官から暴行虐待をうけていれば，銃で武装して
立ち向かう。白人警官は黒人を殺しても罪に問われることがない。陪審
員が白人で構成されているからだ。銃調達の資金は『毛語録』を売るこ
とで稼いだ。前年には文化大革命。時代だ。

　「白は美しく清らか，善で正義。黒は醜い，汚い，悪」。心の底から
そう思わされ，いじけているその感性・美のレベルからくつがえそうと
する。自己価値化するのである。Black is Beautiful. だが活動は FBI によ
って徹底的につぶされるにいたる。黒人運動は希望を見失い，レーガン
からはじまる 80 年代以後，暴力は内向していく。ギャングの抗争，ド
ライブ・バイ・シューティング，黒人どうしが殺しあう。ヒップホップ
やラップはそんな状況からでてきた。銃をマイクに持ちかえろ。

◉ Dread Beat An'Blood

DVD：20 世紀フォックス・ホーム・エンターテイメント・ジャパン

ポチの告白

監督：高橋玄　主演：菅田俊　2010年　日本

　徹底取材をもとにした実録もの。「**警察は最大の暴力団**」。よくある「不祥事」どころの話じゃない。法治国家だの三権分立だのが空文句だというのがよくわかる。そこらへんの交番勤務の「おまわりさん」がヤバい人にみえてくるからコワい。

　ヒラの巡査からデカになった主人公は，組織の論理のなかで人間が壊れていく。小金をため，私腹を肥やす警官たち。出世とノルマ，組織の体面がすべての世界。それにくっつくメディアの御用っぷり。司法というもののあまりのおざなり。「警察24時」とか「事件は会議室で起こってるんじゃない」とか，ふるくは「太陽にほえろ！」など，大量につくられている警察PR作品との落差たるや。国家のなかにさらにちがう論理でうごく，べつの国家があるような二重権力状態。役どころとしておもしろいのは，主人公もさることながら，警察に執拗に挑戦するチンピラと警察署長の小物ワルぶりだ。上層部はけして責任をとろうとせず，詰め腹を切らされるのはいつも末端。見どころ満載。おなじく実話ベース，2016年公開の『日本で一番悪い奴ら』（監督：白石和彌）もあわせて見れば，警察への幻想はきれいさっぱり洗いながされる。▶警察

■菊池良生『警察の誕生』

DVD：ティー・オーエンタテインメント／ポニーキャニオン

ゆきゆきて，神軍

監督：原一男　企画：今村昌平　1987 年　日本

　ニューギニア戦線で従軍した元日本兵，奥崎謙三を主人公とするドキュメンタリー。公開当初は奥崎の狂気をはらむかにみえる行動ゆえ，カルト的人気を博した。しかし話そのものは深刻。これは奥崎の鎮魂の旅の記録なのである。ニューギニア戦線では人肉食が常態化していた。戦後そのことを隠蔽しつづける上官たちの挙動をカメラは追う。そして，奥崎がそれに激しく反応する——「天皇」「靖国神社」。

　「殺してかまわないし，殺したからといって犠牲者にもならない」ホモ・サケル（p.130）。すなわち日本兵にとっては，おたがいがおたがいの食糧であるということ。つまり「殺して食ってかまわない」。あるいは，すべて「証言」から構成される前半は，同時期公開のランズマン『ショア』と照合してみるのもいいだろう。さらにディディ＝ユベルマンの『イメージ，それでもなお』を読み，「表象不可能性を表象する」という難題を確認してみよう。

　ライフコースの観点からいえば，奥崎のコーホートは「決死の世代」（森岡清美）であり，若いころは軍国主義教育に染められ，戦場にあって「いちど死んで」「再生」し，高度成長を支えた世代だ。登場する人物たちはいちど死んだのだ，と考えてみる必要がある。ライフヒストリーとして考えれば，証言者たちは，何をいわず，何を言いよどみ，何をいい落とし，何を忘却し，何を捻じ曲げようとしているのだろうか。ナラティヴの相手は奥崎であり，撮影隊であり，映画の観客だ。こういう映画はもうなかなかつくれない。

DVD：GENEON ENTERTAINMENT, INC.

ラストデイズ・オブ・サードエンパイア

（原題：EDELWEISS PIRATEN）

監督：ニコ・フォン・グラッソウ　主演：イワン・ステプノウ　2004年　ドイツ

　反ナチ抵抗運動というと，白バラのショル兄妹やベルリン地下組織などがすぐ思い浮かぶ。しかしナチス体制に包摂されない子どもたちは，じつはおおぜいいた。ヒトラーユーゲントになじめない不良少年／少女らがあつまり，同世代のユーゲントたちと乱闘をくりかえし，ナチ将校を襲撃する。その名もエーデルワイス海賊団。

　映画はケルンが舞台だが，市内に団員が2000人いたというからおどろく。ドイツ国内だけでどれだけいたのだろう。それまで実態がそれほどわかっていなかったが，元団員の証言からこの映画はつくられた。かれらの一部はゲシュタポ司令部を襲撃したかどで公開処刑される。ナチスは子どもにたいしても容赦がない。ドイツ映画らしく，ハリウッドえがく「コミカルな」ナチス像とちがって生々しい。

　さて，ひるがえって戦時中，日本の軍国主義ファシストが少年少女たちに襲撃されたことはついぞない。このことの意味をよく考えてみるべきなのだ。

DVD：ニューセレクト

ル・アーヴルの靴みがき

監督：アキ・カウリスマキ　主演：アンドレ・ウィルム
2011年　フィンランド／フランス／ドイツ

　フランス北部の港町ル・アーヴル。主人公は靴磨きを仕事にする老人マルセル。ある日，波止場で弁当を食べていると，ひとりの黒人少年が身を隠しているのにでくわす。アフリカから密航してきて見つかり，警察や移民局に追われているらしい。つかまれば本国に強制送還だ。マルセルは少年を家に匿うことにする。

　映画は全編，奇跡でおおわれる。奇跡に先立って前半はどこか寓話的でもある。というよりも，寓話をむりなくこの町の現実にしたところが奇跡ということなのかもしれない。「羊飼いと靴磨きが神様の認めた職業なのさ」——マタイの「山上の垂訓」が伏線になったり，カフカの小説の朗読がさりげなく挿入される。「街の者は眠らないのさ」「なぜ？」「バカだからさ」「なぜバカは眠らないの？」「バカは疲れないからさ」

　2015〜16年にかけて，フランスではテロが続発した。テロの原因を移民のせいにする勢力がいきおいづく。しかし，そんな事件があってなお，移民排斥に反対する声はおおきい。映画でマルセルが訪れるフランス南端の港町カレーには，対岸のイギリスに渡航しようとする難民のキャンプがあり，「ジャングル」と呼ばれている。テロに揺れるさなか，フランス当局はこのジャングルを撤去しようとして，はげしい抗議と暴動に遭った。

DVD：キングレコード

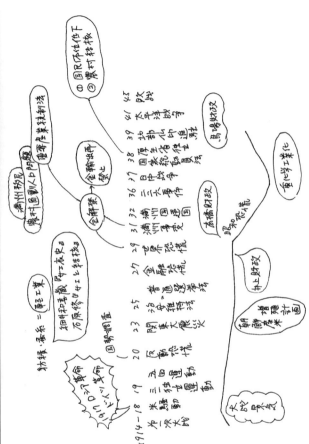

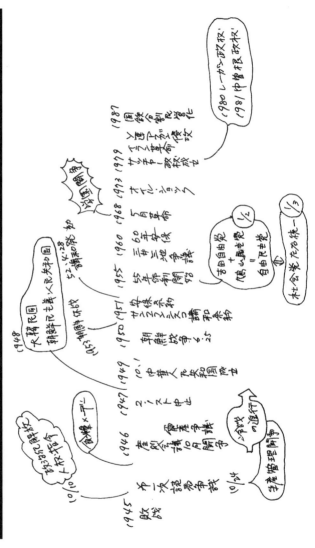

参考図：モダン／ポストモダン

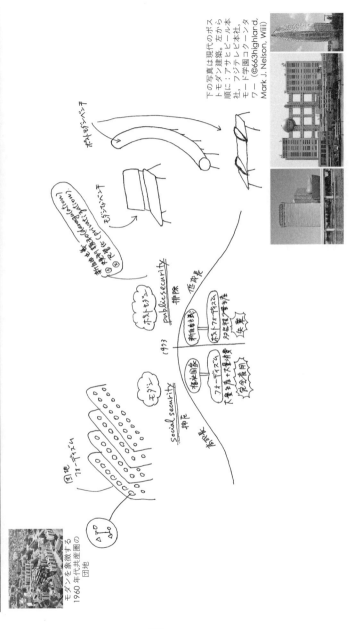

モダンを象徴する
1960年代共産圏の
団地

団地
フォーディズム

モダン
神戸

Social security

福祉国家
フォーディズム
大量生産・大量消費
完全雇用

(1973)

ポストモダン
神際

public security

新自由主義
ポスト・フォーディズム
認知資本主義
失業

新自由主義化（neoliberalization）
④民営化（privatization）？
「柔らかさ」の喪失とハードネスへ

ポストモダンのベンチ

さらなるベンチ

ポストモダンのベンチ

下の写真は現代のポス
トモダン建築。左から
順に：アサヒビール本
社、フジテレビ本社、
モード学園コクーン・タ
ワー（@663highland,
Mark J. Nelson, Wiiii）

203

もっと遠くへ行きたい人のために

- 各項で紹介した作品のほか，筆者が本書を書くさいに参考にした文献もふくむ。順序は著者名（姓）の50音順になっている。
- おなじ著者の複数の本をあげるばあいは刊行年順とした。
- 太字になっているものは，**とくにおすすめの17点**。おすすめしたい理由についてかんたんなコメントをつけた。
- 頭に「★」印をつけた18作品については，このあとの「**《社会》がみえてくるアンソロジー**」に若干の引用をのせておいたので，雰囲気をあじわってみてほしい。

アガンベン，ジョルジョ『瀆神』上村忠男・堤康徳訳，月曜社，2005

アガンベン，ジョルジョ『ホモ・サケル―主権権力と剝き出しの生』高桑和巳訳，以文社，2007…かれを有名にした重要な本。法というものが効力をもたない「例外状態」における生を対象に思索が凝らされる。現代世界におけるのっぴきならないテーマは，多くここからでてくるといっていい。

アガンベン，ジョルジョ『例外状態』上村忠男・中村勝己訳，未來社，2007

アガンベン，ジョルジョ『スタンツェ―西洋文化における言葉とイメージ』岡田温司訳，ちくま学芸文庫，2008

アガンベン，ジョルジョ『王国と栄光―オイコノミアと統治の神学的系譜学のために』高桑和巳訳，青土社

アガンベン，ジョルジョ『身体の使用―脱構成的可能態の理論のために』上村忠男訳，みすず書房，2016

安部公房『壁』新潮文庫，1969

★安部公房『水中都市・デンドロカカリヤ』新潮文庫，1973

安部公房『燃えつきた地図』新潮文庫，1980

安部公房『砂の女』新潮文庫，2003

安部公房『箱男』新潮文庫，2005

雨宮処凛，入江公康，栗原康，白井聡，高橋若木，布施祐仁，マニュエル・ヤン『経済的徴兵制をぶっ潰せ！―学生と戦争』岩波ブックレット，2017

アンダーソン，ネルス『ホーボー―ホームレスの人たちの社会学』上・下，広田康生訳，ハーベスト社，2000

李珍景『不穏なるものたちの存在論―人間ですらないもの，卑しいもの，取るに足らないものたちの価値と意味』影本剛訳，インパクト出版会，2015

石牟礼道子『苦海浄土―わが水俣病』講談社文庫，2004

市野川容孝『生命倫理とは何か』平凡社，2002

猪俣津南雄『踏査報告 窮乏の農村』岩波文庫，1982

イリイチ，イヴァン『シャドウ・ワーク―生活のあり方を問う』玉野井芳郎・栗原彬訳，岩波現代文庫，2006

イリイチ，イヴァン他『専門家時代の幻想』イリイチ・ライブラリー4，尾崎浩訳，新評論，1984

入江公康『眠られぬ労働者たち―新しきサンディカの思考』青土社，2008

インゴルド，ティム『ラインズ―線の文化史』工藤晋訳，左右社，2014

ヴァカン，ロイック『貧困という監獄―グローバル化と刑罰国家の到来』森千香子・菊池恵介訳，新曜社，2008

ヴァン・パリース，フィリップ『ベーシック・インカムの哲学―すべての人にリアルな自由を』後藤玲子・斎藤拓訳，勁草書房，2009

宇井純『公害原論』新装版・合本，亜紀書房，2006

ウィリアムズ，エリック『資本主義と奴隷制―経済史から見た黒人奴隷制の発生と崩壊』山本伸監訳，明石書店，2004

ウィリス，ポール・E『ハマータウンの野郎ども―学校への反抗 労働への順応』熊沢誠・山田潤訳，ちくま学芸文庫，1996

ヴィリリオ，ポール『速度と政治―地政学から時政学へ』市田良彦訳，平凡社ライブラリー，2001

ヴィリリオ，ポール『瞬間の君臨―リアルタイム世界の構造と人間社会の行方』土屋進訳，新評論，2003

ヴィルノ，パオロ『ポストフォーディズムの資本主義―社会科学と「ヒューマン・ネイチャー」』柱本元彦訳，人文書院，2008

ウェーバー，マックス『官僚制』阿閉吉男・脇圭平訳，恒星社厚生閣，1987

★ヴェーバー，マックス『プロテスタンティズムの倫理と資本主義の精神』大塚久雄訳，岩波文庫，1989…いわずもがなの社会学の基本テキスト。資本主義における「道徳」的起源の，ということはマルクス主義的にいえば資本主義にイデオロギー的に合致する人間はどんな社会にいたのかということの解明だ。

ウォーラーステイン，イマニュエル『近代世界システム』Ⅰ・Ⅱ，川北稔訳，岩波モダンクラシックス，2006

臼井隆一郎『コーヒーが廻り世界が廻る―近代市民社会の黒い血液』中公新書，1992

エリアス，ノルベルト『宮廷社会』波田節夫訳，法政大学出版局，1981

大野英士『ユイスマンスとオカルティズム』新評論，2010

岡山茂『ハムレットの大学』新評論，2014

小野二郎『ウィリアム・モリス―ラディカル・デザインの思想』中公文庫，2011

大日方純夫『警察の社会史』岩波新書，1993

カスー，ジャン『1848年―二月革命の精神史』野沢協訳，法政大学出版局，1979

堅田香緒里・白崎朝子・野村史子・屋嘉比ふみ子編著『ベーシックインカムとジェンダー―生きづらさからの解放に向けて』現代書館，2011

ガタリ，フェリックス『三つのエコロジー』杉村昌昭訳，平凡社ライブラリー，2008

ガルシア=マルケス, ガブリエル『戒厳令下チリ潜入記』後藤政子訳, 岩波新書, 1986

カルプ, アンドリュー『ダーク・ドゥルーズ』大山載吉訳, 河出書房新社, 2016

川北稔『砂糖の世界史』岩波ジュニア新書, 1996

河原宏祐『電産型賃金の思想』平原社, 2015

菊池良生『警察の誕生』集英社新書, 2010

きだみのる『気違い部落周遊紀行』冨山房百科文庫, 1981

木村敏『自己・あいだ・時間―現象学的精神病理学』ちくま学芸文庫, 2006

喜安朗『革命的サンディカリスム―パリ・コミューン以後の行動的少数派 』河出書房新社, 1972

クナップ, ミヒャエル他／デヴィッド・グレーバー序文『女たちの中東 ロジャヴァの革命―民主的自治とジェンダーの平等』山梨彰訳, 青土社, 2020

クライン, ナオミ『ショック・ドクトリン―惨事便乗型資本主義の正体を暴く』上・下, 幾島幸子・村上由見子訳, 岩波書店, 2011

★クラストル, ピエール『国家に抗する社会―政治人類学研究』渡辺公三訳, 水声社, 1989…その影響は人類学のみならず, 政治哲学の新たな地平をひらくこととなった。国家を最小限にするために, あるいは生じさせないためにいかなる努力を払うのか, それがこの本であきらかに。

栗原康『現代暴力論―「あばれる力」を取り戻す』角川新書, 2015

栗原康監修『日本のテロ―爆弾の時代 60s-70s』河出書房新社, 2017

栗原康『奨学金なんかこわくない！―『学生に賃金を』完全版』新評論, 2020

グリーンブラット, スティーヴン『一四一七年, その一冊がすべてを変えた』河野純治訳, 柏書房, 2012

グレーバー, デヴィッド『アナーキスト人類学のための断章』高祖岩三郎訳, 以文社, 2006…人類学者でありアナーキストでもあるグレーバーの理論と実践のからみあった, うごきながらかんがえる著作。かれの言葉はその旺盛な活動から生まれてくることがよくわかる。マルセル・モースの延長上にあり, またそれを現代的にのりこえる試みともいえるだろう。

グレーバー, デヴィッド『負債論―貨幣と暴力の 5000 年』酒井隆史・高祖岩三郎・佐々木夏子訳, 以文社, 2016

グレーバー, デヴィッド『ブルシット・ジョブ―クソどうでもいい仕事の理論』酒井隆史・芳賀達彦・森田和樹訳, 岩波書店, 2020

クレポン, マルク『文明の衝突という欺瞞―暴力の連鎖を断ち切る永久平和論への回路』白石嘉治編訳, 付論：桑田禮彰・出口雅敏, 新評論, 2003

黒田喜夫『燃えるキリン　黒田喜夫詩文撰』共和国, 2016

桑田禮彰『フーコーの系譜学―フランス哲学〈覇権〉の変遷』講談社選書メチエ, 1997

桑田禮彰『議論と翻訳―明治維新期における知的環境の構築』新評論, 2019

現代思想 2007 年 12 月臨時増刊号『戦後民衆精神史』青土社

高祖岩三郎『新しいアナキズムの系譜学』河出書房新社, 2009

ゴッフマン, アーヴィング『行為と演技―日常生活における自己呈示』石黒毅訳,
　誠信書房, 1974

ゴッフマン, アーヴィング『アサイラム―施設被収容者の日常世界』石黒毅訳,
　誠信書房, 1984

ゴッフマン, アーヴィング『新訳版 儀礼としての相互行為―対面行動の社会学』
　浅野敏夫訳, 法政大学出版局, 2012

コント, オーギュスト『実証哲学講義』,『世界の名著 46 コント・スペンサー』
　清水幾太郎監訳, 中央公論新社, 1980 所収

コンドルセ, ニコラ・ド『人間精神進歩史』渡辺誠訳, 岩波文庫, 1951

酒井隆史『通天閣―新・日本資本主義発達史』青土社, 2011

酒井隆史『暴力の哲学』河出文庫, 2016

サッセン, サスキア『労働と資本の国際移動―世界都市と移民労働者』森田桐郎
　他訳, 岩波書店, 1992

★サーリンズ, マーシャル『石器時代の経済学』山内昶訳, 法政大学出版局, 2012

サン＝シモン, アンリ・ド『産業者の教理問答』,『世界の名著 42 オウエン, サ
　ン・シモン, フーリエ』白井厚訳, 中央公論新社, 1980 所収

ジェフロワ, ギュスターヴ『幽閉者 ブランキ伝』野沢協・加藤節子訳, 現代思
　潮新社, 2013

渋谷望『魂の労働―ネオリベラリズムの権力論』青土社, 2003

渋谷望『ミドルクラスを問いなおす―格差社会の盲点』生活人新書, 日本放送出
　版協会, 2010

シャルル, クリストフ＆ヴェルジェ, ジャック『大学の歴史』岡山茂・谷口清彦
　訳, 白水社（文庫クセジュ）, 2009

シュミット, カール『パルチザンの理論―政治的なものの概念についての中間所
　見』新田邦夫訳, ちくま学芸文庫, 1995

白石嘉治・大野英士編『増補 ネオリベ現代生活批判序説』新評論, 2008

白石嘉治『不純なる教養』青土社, 2010

白土三平『カムイ伝全集』第 1 部全 15 巻（2005）, 第 2 部全 12 巻（2006）, 小学
　館ビックコミックススペシャル

スコット, ジェームズ・C『ゾミア―脱国家の世界史』佐藤仁監訳, みすず書房,
　2013

スティグレール, ベルナール『偶有からの哲学―技術と記憶と意識の話』浅井幸
　夫訳, 新評論, 2009

スティルネル（シュティルナー）, マックス『唯一者とその所有』上・下, 草間
　平作訳, 岩波文庫, 1929

ゼロカルカーレ『コバニ・コーリング』栗原俊秀訳, 花伝社, 2020

ソレル，ジョルジュ『暴力論』上・下，今村仁司・塚原史訳，岩波文庫，2007

田崎英明『無能な者たちの共同体』未來社，2008

タウシグ，マイケル『模倣と他者性―感覚における特有の歴史』井村俊義訳，水声社，2018

谷川雁『谷川雁セレクション 1　工作者の論理と背理』日本経済評論社，2009

ダラ・コスタ，マリアローザ『家事労働に賃金を―フェミニズムの新たな展望』伊田久美子・伊藤公雄訳，インパクト出版会，1986

タルド，ガブリエル『模倣の法則』池田祥英・村澤真保呂訳，河出書房新社，2007

チャップマン，アン『ハイン 地の果ての祭典―南米フエゴ諸島先住民セルクナムの生と死』大川豪司訳，新評論，2017

デイヴィス，マイク『自動車爆弾の歴史』金田智之・比嘉徹徳訳，河出書房新社，2007

デイヴィス，マイク『増補新版 要塞都市 LA』村山敏勝・日比野啓訳，青土社，2008

デイヴィス，マイク『スラムの惑星―都市貧困のグローバル化』酒井隆史・篠原雅武・丸山里美訳，明石書店，2010

ディディ＝ユベルマン，ジョルジュ『アウラ・ヒステリカ―パリ精神病院の写真図像集』谷川多佳子・和田ゆりえ訳，リブロポート，1990

ディディ＝ユベルマン，ジョルジュ『残存するイメージ―アビ・ヴァールブルクによる美術史と幽霊たちの時間』竹内孝宏・水野千依訳，人文書院，2005…特異な美術史家アビ・ヴァールブルクを読み解きながら繰りだされる対象への迫り方はあまりにユニーク。もののイメージ，その残存，痕跡（nach Leben）からあらゆるものを思考し想像する。物事のちょっとした震え，ゆがみ，流れ方など「かたち」をめぐる「力」の思索。

ディディ＝ユベルマン，ジョルジュ『イメージ，それでもなお―アウシュヴィッツからもぎ取られた四枚の写真』橋本一径訳，平凡社，2006

デュルケム，エミル『宗教生活の原初形態』上・下，古野清人訳，岩波文庫，1975

★デュルケーム，エミール『自殺論』宮島喬訳，中公文庫，1985

デュルケーム，エミール『社会分業論』田原音和訳，ちくま学芸文庫，2017…あまりかえりみられないが，じつはかんがえればすごく重要な「分業」という観点から社会を分析する方法論をしめす。有名なのは「機械的連帯から有機的連帯へ」というテーゼ。メンバーの同質性からなる社会から，「分業」の進展につれ，異質性を基礎にする社会に。

ドゥルーズ，ジル『記号と事件』宮林寛訳，河出文庫，2007

ドゥルーズ，ジル／ガタリ，フェリックス『アンチ・オイディプス―資本主義と分裂症』上・下，宇野邦一訳，河出文庫，2006…われわれはなにに縛られ，なにに囚われているか。それが「パパ，ママ，子ども」と資本主義の共犯関係。著者た

ちの書くものはわかったり，わからなかったりするが，そこがすばらしい。はじめ
からわかるならばべつに読む必要ないから。

ドゥルーズ，ジル／ガタリ，フェリックス『千のプラトー』上・下，宇野邦一他
　訳，河出文庫，2010

★戸坂潤『**日本イデオロギー論**』岩波文庫，1977…日本におけるリベラリストと右
　翼の政治的危うさを，哲学者の立場から，しかもジャーナリスティックに，時論的
　に語った稀有な本。

戸坂潤『**技術の哲学**』前・後編，ゴマブックス，2017（オンデマンド）…「技術」
　をはじめて唯物論的に基礎づけようとした先駆的な仕事。上記もふくめ，きわめて
　現代的な射程をもつ作品。

トーマス，W・I／ズナニエツキ，F『生活史の社会学―ヨーロッパとアメリカに
　おけるポーランド農民』桜井厚訳，御茶の水書房，1983

トリスタン，フロラ『メフィス』加藤節子訳，水声社，2009

トリスタン，フロラ『ペルー旅行記 1833-1834―ある女パリアの遍歴』小杉隆芳
　訳，法政大学出版局，2004

ドンズロ，ジャック『家族に介入する社会―近代家族と国家の管理装置』新曜社，
　1991

中井久夫『分裂病と人類』新版，東京大学出版会，2013

中村好寿『軍事革命（RMA）―〈情報〉が戦争を変える』中公新書，2001

★ニーチェ，フリードリヒ『道徳の系譜』木場深定訳，岩波文庫，1964

ニーチェ，フリードリヒ『ツァラトゥストラはこう言った』上・下，氷上英廣訳，
　岩波文庫，1967，70

★日本聖書協会『新共同訳聖書』1987

ネグリ，アントニオ／ハート，マイケル『〈帝国〉―グローバル化の世界秩序と
　マルチチュードの可能性』水嶋一憲・酒井隆史他訳，以文社，2003

野呂栄太郎『日本資本主義発達史』上・下，岩波文庫，1983

ハイデガー，マルティン『存在と時間』全4巻，熊野純彦訳，岩波文庫，2013

バウマン，ジークムント『リキッド・モダニティー液状化する社会』森田典正訳，
　大月書店，2001

ハーヴェイ，デヴィッド『新自由主義―その歴史的展開と現在』渡辺治監訳，森
　田成也他訳，作品社，2007

パーク，R・E／バージェス，E・W／マッケンジー，R・D『都市―人間生態学とコ
　ミュニティ論』大道安次郎・倉田和四生訳，鹿島出版会，1972

埴谷雄高『虚空』現代思潮新社，1960

ファーブル＝ヴァサス，クロディーヌ『豚の文化誌―ユダヤ人とキリスト教徒』
　宇京頼三訳，柏書房，2000

フィッツパトリック，トニー『自由と保障―ベーシック・インカム論争』武川正
　吾・菊地英明訳，勁草書房，2005

フェデリーチ，シルヴィア『キャリバンと魔女―資本主義に抗する女性の身体』小田原琳・後藤あゆみ訳，以文社，2017…オートノミストにしてフェミニスト，フェデリーチによる画期的な著作。「魔女狩り」は女を女にしばきあげる暴力，『テンペスト』のキャリバンは奴隷的プロレタリアにおとしめられた先住民の形象だ。資本主義の立ちあがりで行使される暴力。

フェロー，マルク『植民地化の歴史―征服から独立まで／一三～二〇世紀』片桐祐・佐野栄一訳，新評論，2017

不可視委員会『来たるべき蜂起』『来たるべき蜂起』翻訳委員会訳，彩流社，2010

★不可視委員会『われわれの友へ』HAPAX訳，夜光社，2016…上記『来たるべき蜂起』とあわせ，現代をかんがえるうえで最高度の質をもったテクスト。不可視委員会が綴るこれら文章を読むことは，われわれが生きるこの「社会」の質と否応なく対峙せざるをえなくなるとば口にたつことであり，そもそも出逢うことそのものが奇蹟ともいえる。

フーコー，ミシェル『言葉と物―人文科学の考古学』渡辺一民・佐々木明訳，新潮社，1974

フーコー，ミシェル『狂気の歴史―古典主義時代における』田村俶訳，新潮社，1975

★フーコー，ミシェル『監獄の誕生―監視と処罰』田村俶訳，新潮社，1977…フーコーの著作のなかでもとっつきやすいほう。刑罰の歴史をつうじてみる，人間の身体を鋳型にいれていかに型をつくったかという「規律訓練」についての本。そして有名な「パノプティコン」は，現代監視社会をかんがえるうえでも重要だ。

フーコー，ミシェル『性の歴史Ⅰ　知への意志』渡辺守章訳，新潮社，1986

フーコー，ミシェル『性の歴史Ⅱ　快楽の活用』田村俶訳，新潮社，1986

フーコー，ミシェル『性の歴史Ⅲ　自己への配慮』田村俶訳，新潮社，1987

フーコー，ミシェル『社会は防衛しなければならない　コレージュ・ド・フランス講義 1975-76』ミシェル・フーコー講義集成 6，石田英敬・小野正嗣訳，筑摩書房，2007

藤田弘夫『都市の論理―権力はなぜ都市を必要とするか』中公新書，1993

ブスケ，ジョー『傷と出来事』谷口清彦・右崎有希訳，河出書房新社，2013

ブラック，ボブ『労働廃絶論―ボブ・ブラック小論集』高橋幸彦訳，『アナキズム叢書』刊行会，2015

ブランキ，オーギュスト『革命論集』上・下，加藤晴康訳，現代思潮社，1968

ブランキ，オーギュスト『天体による永遠』浜本正文訳，雁思社，1985／岩波文庫，2012

フーリエ，シャルル『四運動の理論』新装版（古典文庫），上・下，巖谷國士訳，現代思潮新社，2002

★フーリエ，シャルル『愛の新世界』増補新版，福島知己訳，作品社，2013

★プルースト，マルセル『失われた時を求めて』全13巻，鈴木道彦訳，集英社文庫ヘリテージシリーズ，2006〜07

ブルデュー，ピエール／パスロン，ジャン・クロード『再生産―教育・社会・文化』宮島喬訳，藤原書店，1991…社会学の基盤をほりくずす視点がブルデューにはつきまとう。「再生産」はまず資本主義の再生産だが，「教育」がそれを媒介することを説く。あえて「階級」ではなく「文化資本」。この有名な概念もここから。ひとの「趣味」はいかにつくられるのか。

フロイト，ジクムント『精神分析入門』上・下，高橋義孝・下坂幸三訳，新潮文庫，1977…「無意識」は意識がないのではなく，そういう領域が存在すること。ここを解明の対象にすえ，20世紀の思想・政治・芸術・文学に深大な影響をあたえたフロイト。それは乗り越えられるべきものなのか，なお問題であり続けているのか。

★ベンヤミン，ヴァルター『暴力批判論 他十篇』野村修訳，岩波文庫，1994

ベンヤミン，ヴァルター『ヴァルター・ベンヤミン著作集』全15巻，高原宏平・野村修他編訳・解説，晶文社，1969〜72

ホックシールド，A・R『管理される心―感情が商品になるとき』石川准・室伏亜希訳，世界思想社，2000…「感情労働」を浮かびあがらせた社会学上の重要作。社会学はウェーバー以来「合理性」を中心に思索してきたきらいがあるが，ここにきて感情や情動をテーマに。情動や感情，情緒と社会とのかかわりを，「労働」「ジェンダー」を結び目にしてかんがえる。

ボードレール，シャルル「現代生活の画家」，『ボードレール批評2』阿部良雄訳，筑摩書房，1999

★ホルクハイマー，マックス／アドルノ，テオドール『啓蒙の弁証法―哲学的断想』徳永恂訳，岩波文庫，2007

ボワイエ，ロベール『レギュラシオン理論―危機に挑む経済学』新版，山田鋭夫訳，藤原書店，1990

マキアヴェリ，ニッコロ『新訳 君主論』池田廉訳，中公文庫BIBLIO，2002

マートン，ロバート・K『社会理論と社会構造』森東吾他訳，みすず書房，1961

マルクス，カール『ルイ・ボナパルトのブリュメール18日』伊藤新一・北条元一訳，岩波文庫，1954

マルクス，カール『経済学批判要綱』全5巻，高木幸二郎監訳，大月書店，1958〜65

★マルクス，カール『資本論』全3巻（5冊），マルクス＝エンゲルス全集第23巻a〜25巻b，大内兵衛・細川嘉六訳，大月書店，1965〜66

マルクス／エンゲルス『ドイツ・イデオロギー』花崎皋平訳，合同新書，1966

マルクス／エンゲルス『共産党宣言』大内兵衛・向坂逸郎訳，岩波文庫，1971

ミース，M／ヴェールホフ，C・v／ベンホルト＝トムゼン，V『世界システムと女性』古田睦美・善本裕子訳，藤原書店，1995

宮本憲一『都市経済論―共同生活条件の政治経済学』経済学全集 21，筑摩書房，1980

三好亜矢子・生江明編『3・11 以後を生きるヒント―普段着の市民による「支縁の思考」』新評論，2012

ミルグラム，スタンレー『服従の心理』山形浩生訳，河出文庫，2012

村山知義『忍びの者』1〜5，岩波現代文庫，2003

モア，トマス『改版 ユートピア』澤田昭夫訳，中公文庫，1993

★モース，マルセル／ユベール，アンリ『供犠』小関藤一郎訳，法政大学出版局，1993

★モース，マルセル『贈与論 他二篇』森川工訳，岩波文庫，2014…交換の片すみに追いやられていた「贈る」行為に焦点をあて，じつはそれが人の生の根本にかかわる原初的な行為であることを知らしめた。社会主義者たるモースは，「贈与」を世の中の変革の基礎に据えられるべきものとして構想していた。

森元斎『アナキズム入門』ちくま新書，2017

モリス，ウィリアム『ユートピアだより』川端康雄訳，岩波文庫，2013

矢部史郎『原子力都市』以文社，2010

矢部史郎・白石嘉治編『VOL lexicon』以文社，2009

山内一也『ウイルスの意味論―生命の定義を超えた存在』みすず書房，2018

山田盛太郎『日本資本主義分析―日本資本主義における再生産過程把握』岩波文庫，1977

ユンク，ロベルト『原子力帝国』山口祐弘訳，日本経済評論社，2015

米本昌平・松原洋子・橳島次郎・市野川容孝『優生学と人間社会―生命科学の世紀はどこへ向かうのか』講談社現代新書，2000

良知力『女が銃をとるまで―若きマルクスとその時代』日本エディタースクール出版部，1986

ラッセル，バートランド『怠惰への讃歌』堀秀彦・柿村峻訳，平凡社ライブラリー，2009

ラッツァラート，マウリツィオ『〈借金人間〉製造工場―"負債"の政治経済学』杉村昌昭訳，作品社，2012

ラッツァラート，マウリツィオ『記号と機械―反資本主義新論』杉村昌昭・松田正貴訳，共和国，2015

ラトゥール，ブルーノ『虚構の「近代」―科学人類学は警告する』川村久美子訳・解説，新評論，2008

ラトゥール，ブルーノ『地球に降り立つ―新気候体制を生き抜くための政治』川村久美子訳・解説，新評論，2019

ラファルグ，ポール『怠ける権利』田淵晋也訳，平凡社ライブラリー，2008

★ランシエール，ジャック『不和あるいは了解なき了解―政治の哲学は可能か』松葉祥一・大森秀臣・藤江成夫訳，インスクリプト，2005…かれは現在にあっ

てじつは等閑視されがちな「平等」という問題をといつづける哲学者といっていいだろう。「平等」とはいかなる事態なのかが追求されることになるのだが，つきつめていくと「政治」がくつがえらざるをえなくなるということなのだ。

ランシエール，ジャック『無知な教師』梶田裕・堀容子訳，法政大学出版局，2011

ル・ロワ・ラデュリ，エマニュエル『南仏ロマンの謝肉祭―叛乱の想像力』蔵持不三也訳，新評論，2002

ルクセンブルグ，ローザ『資本蓄積論』全3冊，長谷部文雄訳，岩波文庫，1934

ルクセンブルク，ローザ『ローザ・ルクセンブルクの手紙―カールおよびルイーゼ・カウツキー宛（1896年-1918年)』ルイーゼ・カウツキー編，川口浩・松井圭子訳，岩波文庫，1987

ルフェーヴル，アンリ『日常生活批判―序説』田中仁彦訳，現代思潮新社，1978

ルフェーヴル，アンリ『パリ・コミューン』上・下，河野健二・柴田朝子・西川長夫訳，岩波文庫，2011

《社会》がみえてくるアンソロジー

★安部公房「詩人の生涯」(『水中都市・デンドロカカリヤ』所収)

答えられなくても, 感じることはできるだろう。見たまえ, この見事なまでに大きく, 複雑で, また美しい結晶は, 貧しいものの忘れていた言葉ではないのか。夢の……, 魂の……, 願望の……。六角の, 八角の, 十二角の, 花よりも美しい花, 物質の構造, 貧しい魂の分子の配列。貧しいものの言葉は, 大きく, 複雑で, 美しく, しかも無機的に簡潔であり, 幾何学のように合理的だ。貧しいものの魂だけが, 結晶しうるのは当然なことだ。赤いジャケツの青年は, 雪の言葉を目で聞いた。彼は小脇のビラを裏返して, そこに雪の言葉を書いていこうと決心した。(p.114)

★マックス・ヴェーバー『プロテスタンティズムの倫理と資本主義の精神』

したがって, 善行は, 救いをうるための手段としてはどこまでも無力なものだが——選ばれた者もやはり被造物でありつづけ, その行うところはすべて神の要求から無限に隔たっているからだ——選びを見分ける印しとしては必要不可欠なものだ。救いを購いとるためではなく, 救いについての不安を除くための技術的手段なのだ。〔…〕つまり, 往々言われるように, カルヴァン派の信徒は自分で自分の救いを——正確には救いの確信を, と言わねばなるまい——「造り出す」のであり, しかも, それはカトリックのように個々の功績を徐々に積みあげることによってではありえず, どんな時にも選ばれているか, 捨てられているか, という二者択一のまえに立つ組織的な自己審査によって造り出すのだ。(p.185)

★ピエール・クラストル『国家に抗する社会』

未開社会, 国家なき社会においては, 権力は首長のもとにはない。だからこそ, その言葉は, 権力の言葉, 権威の言葉, 命令の言葉たりえない。命令, それは正に首長の発しえぬものであり, 彼の言葉は, そのような充溢した言葉であることを拒否されている。自分の努めを忘れ命令を発しようと試みる首長は, 服従の拒否に直面するのみならず, 首長としての認知すらも失う破目になろう。持ってもいない権力を濫用するどころか, たかだか権力の濫用を夢みるという程度に正気を失った首長, 首長ぶりたがる首長さえも, 人々から見放される。未開社会は, 首長ではなく社会そのものが, 権力の現実の場なのであり, したがって, 分離された権力を拒絶する場なのだ。(p.191-192)

★マーシャル・サーリンズ『石器時代の経済学』

もっとも明白ですぐわかる結論は，人々が精だして労働していない，ということにほかならない。食物を獲得して，準備するための，一人当りの平均日労働時間は，四，五時間にすぎない。それどころか連続して働くということもしない。生活資料探しは，きわめて断続的であり，ちょっと働いて必要なだけ手にいれると，ちょっと休むので，暇な時間が大変に多い。(p.28)

★エミール・デュルケーム『自殺論』

少なくともそれとは全然異なった側面から自殺をとらえることも可能だということである。もしも自殺を，別々に考察されるべき，たがいに孤立した個々の出来事とのみみないで，所与の時間単位内に所与の社会の内部に起こる自殺を全体的に考察してみるならば，こうして得られた全体は，たんなる個々の単位の総和，すなわち寄せ集められた自殺の和ではなく，それ自体が一種独特の *sui generis* 新しい事実を構成していることがみとめられる。それは，統一性と個性をもち，それゆえ固有の性格をそなえている。さらにいえば，その性格はすぐれて社会的なものなのだ。(p.25)

★戸坂潤『日本イデオロギー論』

独占資本主義が帝国主義化した場合，この帝国主義の矛盾を対内的には強権によって蔽い，かつ対外的には強力的に解決出来るように見せかけるために，小市民層に該当する広範な中間層が或る国内並びに国際的な政治事情によって社会意識の動揺を受けたのを利用する政治機構が，取りも直さずファシズムであって，無産者の独裁に対してもブルジョアジーの露骨な支配に対しても情緒的に信念を失った中間層が情緒的に自分自身の利害だと幻想する処のものを利用して，終局に於て大金融資本主義の延長という成果を収めるのに成功しそうに見える比較的有利な手段が之なのである。〔…〕こうしてここでは市民社会の現実に即して，問題は封建主義に帰着するのである。先に，日本主義的〔軍〕国意識は，〔軍〕部団の武士階級意識を通じて観念的に封建制の意識に落着したが，ここでは之が，農村という地盤の現実のコースを通って，再び封建制の意識に到達する。併しここで云う封建制の大事な規定は，つまり兵農一如ということなのである。(p.198-202)

★フリードリヒ・ニーチェ『道徳の系譜』

道徳上の奴隷一揆が始まるのは,《反感》そのものが創造的になり,価値を産み出すようになった時である。ここに《反感》というのは,本来の《反動》,すなわち行動上のそれが禁じられているので,単に想像上の復讐によってのみその埋め合わせをつけるような徒輩の《反感》である。すべての貴族道徳は勝ち誇った自己肯定から生ずるが,奴隷道徳は「外のもの」,「他のもの」,「自己でないもの」を頭から否定する。そしてこの否定こそ奴隷道徳の創造的行為なのだ。評価眼のこの逆倒——自己自身へ帰るかわりに外へ向かうこの必然的な方向——これこそはまさしく《反感》の本性である。〔…〕これに反して,《反感》をもった人間の考想する「敵」を考えてみるがよい。——そしてここにこそ彼の行為があり,彼の創造があるのだ。彼はまず「悪い敵」を,すなわち「悪人」を考想する。しかもこれを基礎概念として,それからやがてその摸像として,その対照物として,更にもう一つ「善人」を案出する——これが自分自身なのだ!……(p.46-47)

★新訳聖書「テサロニケの信徒への手紙 二」

まだわたしがあなたがたのもとにいたとき,これらのことを繰り返し語っていたのを思い出しませんか。/今,彼を抑えているものがあることは,あなたがたも知っているとおりです。それは,定められた時に彼が現れるためなのです。/不法の秘密の力は既に働いています。ただそれは,今のところ抑えている者が,取り除かれるまでのことです。/その時が来ると,不法の者が現れますが,主イエスは彼を御自分の口から吐く息で殺し,来られるときの御姿の輝かしい光で滅ぼしてしまわれます。/不法の者は,サタンの働きによって現れ,あらゆる偽りの奇跡としるしと不思議な業とを行い,/そして,あらゆる不義を用いて,滅びていく人々を欺くのです。彼らが滅びるのは,自分たちの救いとなる真理を愛そうとしなかったからです。(2 章 5-10)

★不可視委員会『われわれの友へ』

陰謀論者が反革命なのは,陰謀というものを,たかだか権力者の特権くらいにしか考えられないからである。権力者が保身や勢力拡大のために陰謀をはたらくのはあたりまえだろう。だが,**あらゆる場所で陰謀が企てられている**こともまた明らかである——マンションの玄関口で,コーヒー自販機の周囲で,ケバブ屋の裏で,占拠した建物や広場で,アトリエや刑務所で,パーティや情事で。こうした関係のすべて,会話のすべて,友情のすべてが世界規模で,まごうかたなき歴

史的な党——マルクスが「われわれの党」と呼びならわしたもの——をいままさに毛細状に織りなしている。(p.11-12)

★ミシェル・フーコー『監獄の誕生』

ベンサムの考えついた〈一望監視装置〉は，こうした組合わせの建築学的な形象である。その原理はよく知られる通りであって，周囲には円周状にそれを取巻く建物の内側に面して大きい窓がいくつもつけられる。周囲の建物は独房に区分けされ，そのひとつひとつが建物の奥行をそっくり占める。独房には窓が二つ，塔の窓に対応する位置に，内側へむかって一つあり，外側に面するもう一つの窓から光が独房を貫くようにさしこむ〔…〕。〈一望監視装置〉は見る＝見られるという一対の事態を切離す機械仕掛であって，その円周状の建物の内部では人は完全に見られるが，けっして見るわけにはいかず，中央部の塔のなかからは人はいっさいを見るが，けっして見られはしないのである。／これは重要な装置だ，なぜならそれは権力を自動的なものにし，権力を没個人化するからである。その権力の本源は，或る人格のなかには存せず，身体・表面・光・視線などの慎重な配置のなかに，そして個々人が掌握される関係をその内的機構が生み出すそうした仕掛のなかに存している。(p.202-204)

★シャルル・フーリエ『愛の新世界』

いまやこのうえない非難の的になっている不貞属を論じるべきときである。つまり多婚すなわち複数の恋愛を同時にいとなむものだ。このいわゆる悪徳は調和世界では華々しい役割を帯びる。だからといって文明人の方々にはあわてて言いがかりをつけないでいただきたい。何度も言うように，多婚愛を非難するふりをしているすまし屋たちこそ，陰にまわるとこの種の恋愛のもっとも熱心で〔　〕な信奉者であるのだから。(p.328)【引用者注】〔　〕は，フーリエ自身があとで埋めるつもりで設けた空白部分。

★マルセル・プルースト『失われた時を求めて』

長いあいだ，私は早く寝るのだった。ときには，蠟燭を消すとたちまち目がふさがり，「ああ，眠るんだな」と考える暇さえないこともあった。しかも三十分ほどすると，もうそろそろ眠らなければという思いで目がさめる。私はまだ手にしているつもりの本をおき，明りを吹き消そうとする。眠りながらも，たったいま読んだことについて考えつづけていたのだ。ただしその考えは少々特殊なもの

になりかわっている。自分自身が，本に出てきたもの，つまり教会や，四重奏曲
や，フランソワ一世とカルル五世の抗争であるような気がしてしまうのだ。こう
した気持は，目がさめてからも数秒のあいだつづいている。それは私の理性に反
するものではないけれども，まるで鱗のように目の上にかぶさり，蠟燭がもう消
えているということも忘れさせてしまう。ついでそれはわけの分からないものに
なりはじめる——転生のあとでは前世で考えたことが分からなくなるように。

（第Ⅰ巻，p.29-30）

★ヴァルター・ベンヤミン『暴力批判論』

いっさいの領域で神話に神が対立するように，神話的な暴力には神的な暴力が
対立する。しかもあらゆる点で対立する。神話的暴力が法を措定すれば，神的暴
力は法を破壊する。前者が境界を設定すれば，後者は限界を認めない。前者が罪
をつくり，あがなわせるなら，後者は罪を取り去る。前者が脅迫的なら，後者は
衝撃的で，前者が血の匂いがすれば，後者は血の匂いがなく，しかも致命的であ
る。（p.59）

★マックス・ホルクハイマー／テオドール・アドルノ『啓蒙の弁証法』

モナド相互の関係を制御し調整するのは，神ないし刑務所の管理者の役目であ
る。〔…〕監獄は，市民的労働世界の究極のイメージなのであり，否応なしにそ
うなっていく自分の将来像に対して，人間が抱く憎しみがこの世においた目印な
のである。〔…〕トックヴィルによれば，市民的共和政においては，君主政とは
違って，身体に暴力が加えられはしないが，直接に心が襲われる，とされている
が，市民的秩序における刑罰は心を襲う。そこで心の責苦にさいなまれた者は，
もはや何昼夜も刑車に縛りつけられて死ぬようなことはない。ひっそりと，精神
病院とはほとんど名前でしか区別できない広大な獄舎の中で，目立たない事例と
して，精神的に息絶えるのである。（p.468-471）

★カール・マルクス『資本論』

この本源的蓄積が経済学で演ずる役割は，原罪が神学で演ずる役割とだいたい
同じようなものである。アダムがりんごをかじって，そこで人類の上に罪が落ち
た。この罪の起源は，それが過去の物語として語られることによって，説明され
る。ずっと昔のあるときに，一方では勤勉で賢くてわけても倹約なえり抜きの人
があり，他方にはなまけもので，あらゆる持ち物を，またそれ以上を使い果たし

てしまうくずどもがあった。とにかく神学上の原罪の伝説は、われわれに、どうして人間が額に汗して食うように定められたかを語ってくれるのであるが、経済学上の原罪の物語は、どうして少しもそんなことをする必要のない人々がいるのかを明かしてくれるのである。〔…〕一方の人々は富を蓄積し、あとのほうの人々は結局自分自身の皮のほかにはなにも売れるものをもっていないということになったのである。〔…〕だから、資本関係を創造する過程は、労働者を自分の労働条件の所有から分離する過程、すなわち、一方では社会の生活手段と生産手段を資本に転化させ他方では直接生産者を賃金労働者に転化させる過程以外のなにものでもありえないのである。つまり、いわゆる本源的蓄積は、生産者と生産手段との歴史的分離過程にほかならないのである。それが「本源的」として現われるのは、それが資本の前史をなしており、また資本に対応する生産様式の前史をなしているからである。(第Ⅰ巻、p.932-934)

★マルセル・モース/アンリ・ユベール『供儀』

なぜなら供儀はつねに任意に選択されるものとは限らず、神々によって強要されたものだからである。〔…〕しかしながら、まったく利己主義的打算がいらない場合がひとつある。それは神の供儀である。なぜなら、自らを犠牲にする神は、永遠に自己を捧げるからである。それは、この場合、媒介者がないからである。同時に祭主でもある神は犠牲とも一体であり、ときには供儀祭司とも一体なのである。普通の供儀に関係する諸々の要素は、ここでは相互にいりくみ、混合してしまっている。ただ、こうした混合は神話的な、つまり理想的な存在に対してだけしか可能ではない。こうした次第で、世界のため自己を犠牲にする神という概念は、もっとも文明の発達した民族にとっても、分け前を伴わない自己犠牲の最高の表現となり、またその理想的極限ともなったのである。(p.108)

★マルセル・モース『贈与論』

社会的な優越を勝ち得ること。それどころか、むき出しの優越と言うことすらできるような優越を勝ち得ること。〔…〕一番であること。もっとも美しく、もっとも強運に恵まれ、もっとも強く、もっとも富裕であること。これこそがみなの追求することことであり、かつ、そうであることによって追求する物は獲得される。後日、首長は配下の民や親族たちに自分が受け取った物を再分配し、そうすることで自分のマナ（mana）を確固たるものとする。〔…〕人間を「エコノミック・アニマル」に仕立てたのは、きわめて最近のわたしたち西洋の諸社会であ

223

る。けれども，そのわたしたちといえども，まだ全員がこの種の生き物であるわけではない。西洋の諸社会では，大衆にあってもエリートにあっても，純粋な消費のための消費，不合理な消費というものが日常的におこなわれているし，それはまた西洋の貴族層が現在に伝える遺風のいくつかをいまだに特徴づけてもいる。ホモ・エコノミクス（homo oeconomicus）とは，わたしたちがすでに通り過ぎた地点ではなく，わたしたちの前に控える地点なのだ。(p.426-431)

★ジャック・ランシエール『不和あるいは了解なき了解』

要約しよう。政治が存在するのは，社会の分け前や当事者の計算が，分け前なき者の分け前を登録することによって攪乱されるところである。政治が始まるのは，〈誰であれ人と人との平等〉が，民衆の自由に登録されるときである。(p.199)

著者紹介

入江公康（いりえ・きみやす）

1967年生まれ。早稲田大学大学院人間科学研究科博士課程後期単位取得退学。現在，東洋大学，文教大学，立教大学，東京農業大学などにて非常勤講師。専攻は社会学・社会思想史・労働運動史・労働者文化論・生命倫理など。

著書：『眠られぬ労働者たち—新しきサンディカの思考』（青土社，2008）

共著：『増補 ネオリベ現代生活批判序説』（白石嘉治・大野英士編，新評論，2008），『権利の哲学入門』（田上孝一編，社会評論社，2017），『経済的徴兵制をぶっ潰せ！—戦争と学生』（岩波ブックレット，2017）他

論文：「私たちはいたるところ隠れたるこの「分有」を見いだす」（山森亮編『労働再審6—労働と生存権』大月書店，2012），「労働者的無意識—夢は組織されたか」（河東仁編『夢と幻視の宗教史』下巻，リトン，2014)，" 'Production Control' or 'Factory Soviet'? Workers' Control in Japan," Dario Azzellini（ed.）, *An Alternative Labour History*, ZED BOOKS, 2015,「魂の表式」（『HAPAX 7 反政治』夜光社，2017）他

増補版 **現代社会用語集**

2018年2月25日　初版第1刷発行
2021年8月5日　増補版第1刷発行

著　者　入　江　公　康
発行者　武　市　一　幸

発行所　株式会社　新　評　論

〒169-0051 東京都新宿区西早稲田3-16-28
http://www.shinhyoron.co.jp

電話　03（3202）7391
FAX　03（3202）5832
振替　00160-1-113487

定価はカバーに表示してあります
落丁・乱丁本はお取り替えします

装訂　山田英春
印刷　理想社
製本　中永製本所

© 入江公康 2021
ISBN978-4-7948-1188-2
Printed in Japan

JCOPY 〈（一社）出版者著作権管理機構 委託出版物〉
本書の無断複写は著作権法上での例外を除き禁じられています。複写される場合は，そのつど事前に，（一社）出版者著作権管理機構（電話 03-5244-5088，FAX 03-5244-5089，E-mail: info@jcopy.or.jp）の許諾を得てください。

好評刊

白石嘉治・大野英士 編

増補 ネオリベ現代生活批判序説

【インタビュー：入江公康／樫村愛子／矢部史郎／岡山茂／堅田香緒里】「日本ではじめてのネオリベ時代の日常生活批判の手引き書」（酒井隆史）。大幅増補による決定版。

四六並製　320頁　2640円　ISBN978-4-7948-0770-0

岡山　茂

ハムレットの大学

大学という「行く河」、そこで紡がれる人文学の歴史と未来を、「3.11／フクシマ以後」の視座から編み直す柔軟な思考の集成。だれのなかにも眠る神性を解き放つ。

四六上製　304頁　2860円　ISBN978-4-7948-0964-3

栗原　康

奨学金なんかこわくない！
『学生に賃金を』完全版

2020年度から始まった「高等教育の修学支援制度」はニセの無償化だ！大幅加筆・資料追補で「受益者負担」も「大学の社会貢献」もぜんぶまとめて完全論破。

四六並製　272頁　2200円　ISBN978-4-7948-1149-3

【表示価格：税込定価】